NO TEU DESERTO

OBRAS DO AUTOR

Ficção
Rio das Flores, 2007 (Prémio do Clube Literário do Porto)
Equador, 2003 (Prémio Grinzane Cavour)
Não te deixarei morrer, David Crockett, 2001

Reportagem e Crónicas
Sul (viagens), 2004
Anos Perdidos, 2001
Um Nómada no Oásis, 1994
Sahara, a República da Areia, 1985

Infantil e Juvenil
O Planeta Branco, 2005
O Segredo do Rio, 1997

Miguel Sousa Tavares

No teu deserto

www.oficinadolivro.pt

© 2009, Miguel Sousa Tavares
e Oficina do Livro – Sociedade Editorial, Lda.
uma empresa do grupo LeYa
Rua Cidade de Córdova, 2
2610-038 Alfragide
Tel.: 21 041 74 10, Fax: 21 471 77 37
E-mail: info@oficinadolivro.leya.com

Título: *No teu deserto*
Autoria: Miguel Sousa Tavares
Desenhos: Charles de Foucauld (1856-1916),
Esquisses Sahariennes – Trois carnets inédits de 1885,
Jean Maisonneuve Éditeur, © Librairie d'Amérique et d'Orient, Paris 1985
Fotografia: João Silveira Ramos
Revisão: Manuel Dias
Composição: Informaster, Lda.
em caracteres Sabon, corpo 12
Capa: Maria Manuel Lacerda/Oficina do Livro
sobre desenho de Charles de Foucauld
Impressão e acabamento:
Rolo & Filhos II, S.A.

1.ª edição: Julho de 2009

ISBN 978-989-555-464-5
Depósito legal n.º 295632/09

No lugar dos palácios desertos e em ruínas
À beira do mar,
Leiamos, sorrindo, os segredos das sinas
De quem sabe amar.

Qualquer que ele seja, o destino daqueles
Que o amor levou
Para a sombra, ou na luz se fez a sombra deles,
Qualquer fosse o voo.

Por certo eles foram mais reais e felizes.

Fernando Pessoa,
"Poesias de Álvaro de Campos"

Para a Cláudia

lá em cima,
numa estrela sobre o Sahara

I

(No fim, tu morres. No fim do livro, tu morres. Assim mesmo, como se morre nos romances: sem aviso, sem razão, a benefício apenas da história que se quis contar. Assim, tu morres e eu conto. E ficamos de contas saldadas.)

Esta história que vou contar passou-se há vinte anos. Passou-se comigo há vinte anos e muitas vezes pensei nela, sem nunca a contar a ninguém, guardando-a para mim, para nós, que a vivemos. Talvez tivesse medo de estragar a lembrança desses longínquos dias, medo de mover, para melhor expor as coisas, essa fina camada de pó onde repousa, apenas adormecida, a memória dos dias felizes.

A verdade é que, agora que me sento para te escrever, reparo – mas sem nenhum espanto nem estranheza – que não preciso de inventar nada: lembro-me de tudo, exactamente tudo, hora por hora, quase cada olhar nosso, cada gesto, cada sorriso, cada amuo. Sim, às vezes acontece-me esta coisa curiosa, quando olho para trás através dos anos: lembrar-me de todos os detalhes – até daqueles que na altura achei que não teriam nenhuma importância nem significado – e todavia ser incapaz de situar o tempo exacto em que vivi as coisas. Como se as continuasse para sempre a viver, ou como se nunca as tivesse vivido.

Mas, desta viagem, eu lembro-me exactamente quando foi e que idade tinha: tinha trinta e seis anos, e lembro-me por isso mesmo, porque foi o ano da minha vida em que me senti mais novo. Nem aos vinte e cinco, nem aos vinte e um, nem aos dezoito. Foi aos trinta e seis anos de idade que eu me senti eternamente jovem, quase imortal ou, mais arrepiante ainda, indiferente à própria ideia de morte. E, se eu era jovem, tu, a meus olhos, eras a própria juventude. Tudo em ti, não apenas os teus absurdos vinte e um anos: a própria maneira um pouco estouvada de caminhares, como se ainda não tivesses aprendido bem a andar, a maneira de parares, virar a cabeça e sorrir por cima do ombro, os teus ares de menina pequenina que precisa de ser embalada e que alternavas com vãs tentativas de parecer mulher adulta e sabida, a tua alegria rodeada de crianças no chão de areia de uma aldeia perdida numa pista do deserto, o teu tom sério rodeada de adultos, à noite junto a uma fogueira, fingindo, como os adultos, procurar naquele lençol de estrelas que quase nos tocavam de tão próximas a resposta que lá devia estar sobre o destino do universo e o nosso.

Como tantos outros, procurei sempre encontrar um significado mais grandioso, ou simplesmente mais humano, para aquela linda frase de que morrem jovens os que os deuses amam. Para que não seja apenas uma frase bonita ou para que não queira antes significar a crença terrível de que os deuses só amam os que morrem jovens, assim como bestas desumanas que se alimentam da juventude ceifada. Não sei a resposta: desisti há muito de entender os deuses, de achar um significado humano para a desordem instaurada pelo divino. Sei apenas, no que aos homens diz respeito, que ficam eternamente jovens os que morrem jovens.

Também achei sempre que a beleza não tinha idade. Achei sempre isso, mesmo antes de deixar de ser novo. Um dia (não me lembro ao certo que idade tinha, mas ainda devia ser novo, a avaliar pelo que segue), estava sentado a almoçar sozinho no meu hotel favorito, no meu terraço favorito. Na mesa ao lado, almoçava uma senhora francesa acompanhada por três cavalheiros. Ela estava de frente para mim e eu fiquei perturbado com a sua extraordinária beleza. Fico sempre perturbado com as mulheres demasiado bonitas, nunca sei se são para ser olhadas ou evitadas, contempladas como merecem ou deixadas em paz, porque aquele dom não é culpa que se carregue para devassa alheia. Mas esta mulher parecia uma aparição, uma fada, saída da mata em frente, que era uma mata verdadeiramente encantada. Não estou a brincar, isto foi mesmo assim: eu estava deslumbrado pela beleza dela e ela devia ter uns setenta e muitos anos, talvez mesmo oitenta. Levantei-me no fim do almoço e, quando ia a passar pela mesa dela, não resisti e, em francês – porque a tinha ouvido falar francês –, perguntei-lhe delicadamente se lhe podia dizer uma coisa. Ela fez que sim, com os seus olhos de água, e eu disse-lhe exactamente o que pensava: que ela era, talvez, a mulher mais bonita que eu já tinha visto. Ela sorriu, um sorriso lindo mas triste, como se aquilo lhe causasse mais sofrimento do que alegria, pousou uma mão de dedos esguios sobre a que eu tinha apoiado na mesa, e disse-me:

– Oh, non, jeune homme, la beauté c'est la jeunesse! – Uma frase cruel, sem apelo nem misericórdia, de cuja infalibilidade me tenho tentado desconvencer desde então.

Assim, a ideia de começar finalmente a contar esta história a alguém nasceu-me quando procurava uma fotografia qualquer, numa das gavetas onde guardo (nunca percebi bem para quê) centenas de fotografias e *slides* de memórias tão desencontradas como eu próprio a bordo de um porta-aviões no meio do mar, os meus filhos na maternidade ou um elefante na savana. Não sei porque guardo tudo isto, pois tenho uma má relação com as imagens mortas dos dias mortos. Ao contrário do normal, raramente arrumo as fotografias, não as guardo em álbuns, não as catalogo, não as legendo, quase nunca as dato. Limito-me a atirá-las ao molho ou em envelopes para dentro das gavetas e às vezes acontece-me até olhar para fotografias de um determinado lugar e não perceber em qual das ocasiões em que lá estive é que foram tiradas. De facto, só abro a gaveta quando vou à procura de uma imagem específica que possa ter uma utilidade concreta e actual, evitando cuidadosamente qualquer tipo de vistoria que possa despertar essa serpente venenosa que hiberna no fundo da gaveta e a que chamamos nostalgia. Dizem que as fotografias não mentem, mas essa é a maior mentira que já ouvi.

E foi assim, abrindo a gaveta à procura de qualquer outra coisa, que, sem aviso, me escorregou para as mãos uma fotografia tua tirada durante aqueles quatro dias. Fiquei a olhar-te longamente, longa, longa, longamente. E longamente me fui dando conta de que tudo aquilo acontecera mesmo: eu não o sonhara, durante vinte anos. Nisso, quando guardam para sempre um instante que nunca se repetirá, as fotografias não mentem – esse instante existiu mesmo. Porém, a mentira consiste em pensar que esse instante é eterno, que dois amantes felizes e abraçados numa fotografia ficaram para sempre felizes e abraçados. É por isso que não gosto de olhar para fotografias antigas: se alguma coisa elas reflectem, não é a felicidade, mas sim a traição – quando mais não seja, a traição do tempo, a traição daquele mesmo instante em que ali ficámos aprisionados no tempo. Suspensos e felizes, como se a felicidade se pudesse suspender carregando no botão "pausa" no filme da vida.

Ali estavas tu, então, tão nova que parecias irreal, tão feliz que era quase impossível de imaginar. Ali estavas tu, exactamente como te tinha conhecido. E o mais extraordinário é que, olhando-te, dei-me conta de que não tinhas mudado nada, nestes vinte anos: como nunca mais te vi, ficaste assim para sempre, com aquela idade, com aquela felicidade, eterna, desde o instante em que te apontei a minha *Nikon* e tu ficaste exposta, sem defesa, sem segredos, sem dissimulação alguma.

Foi ao terceiro dia da nossa viagem, na estrada entre Oran e Argel, Novembro de 1987.

II

Quando vi a Cláudia pela primeira vez, ela estava sentada no chão de uma garagem, ali para os lados de Alvalade, em Lisboa. Juntava latas de conserva, punha etiquetas em frascos de comida e caixas de cartão e arrumava tudo nas traseiras do nosso jipe.

O nosso jipe: um UMM, motor Peugeot e carroçaria portuguesa, seguramente o mais feio, o mais resistente e, para mim, o mais comovente carro que algum dia guiei. Durante um mês e meio, ele serviu-nos sem um desfalecimento através do deserto do Sahara, na Argélia, aguentando dunas e pistas de calhaus, caindo em buracos, partindo molas da suspensão, arrostando com tempestades de areia, calores assassinos durante o dia e frio polar durante as noites, e sempre seguindo em frente, pegando o motor todas as manhãs, quando a medo eu ligava a ignição. Rangeu, sofreu, houve mesmo alturas em que gritou, mas nunca morreu, nunca nos deixou ali, na pista para Tamanrasset.

Então, a Cláudia estava sentada no chão, junto à porta traseira do UMM, e arrumava a "mercearia" para a nossa viagem. Muito mais tarde, um mês e tal mais tarde, eu haveria de me lembrar daquela cena e da primeira vez que a vi, quando nas traseiras do UMM já nada mais havia para comer do que latas de milho cozido, que ela adorava e eu detestava. Perguntei-lhe, então:

– Mas o que estiveste tu a fazer durante uma semana inteira, a arrumar comida no jipe, se já não há nada que comer, só latas e mais latas de milho?

Ela riu-se, mas eu insisti. Estava verdadeiramente mal-disposto com a perspectiva de passar a semana que faltava de viagem a comer milho, e então ela zangou-se. Quando se zangava, a Cláudia não discutia nem levantava a voz, nem sequer respondia. Fechava a cara com um ar triste e desaparecia. Ia andar de mota nas dunas com algum amigo *motard*, ia jantar noutro jipe – isto é, noutra casa – ou desaparecia uma noite inteira. Quando voltava, sorria outra vez e eu estava desarmado. Subia para o banco ao lado do meu, arrancávamos para mais um dia infernal nas pistas e seguíamos os dois calados. Passado um bocado (no deserto, um bocado podem ser duas horas), ela olhava-me de viés e dizia:

– Hoje estás muito calado.

Uma das coisas de que eu gostava no nosso UMM é que ele tinha imenso sentido de humor. Quando nos zan-gámos por causa do milho – e foi uma das cinquenta vezes que nos zangámos –, quando nenhum de nós quebrava o silêncio da zanga, caí de repente dentro de um buraco e toda a traseira do jipe se empinou, apontando ao céu, eternamente azul. Aterrámos à bruta e veio lá de trás um objecto a grande velocidade que me atingiu na nuca, por pouco não me matando: era uma lata de atum.

– Eu não te disse que procurasses bem, que ainda havia atum? – disse ela, no tom de voz mais natural que conseguiu encenar.

O jantar estava salvo e a zanga acabada. Era impossível resistir aos humores do UMM, aos imprevistos do deserto e ao riso da Cláudia: era infantil, cristalino, nada ainda o tinha desgastado. Cabia lá dentro toda a ilusão do mundo.

Muitas vezes me tenho lembrado da Cláudia. Talvez menos do que seria normal, certamente menos do que ela merece. Mas, quando me lembro, vem-me a imagem desse riso ou da fugaz tristeza que às vezes lhe corria nos olhos e em que só estando atento se reparava. Muitas vezes me lembro dos nossos diálogos, durante as longas horas daqueles sofridos e gloriosos dias, interminavelmente aos saltos e solavancos dentro do jipe, navegando no vazio, num horizonte despido de qualquer vaidade e presunção. Dias de inocência, de iniciação, de descoberta, pelo Sahara adentro, pelas nossas almas adentro. Ou então lembro-me dos nossos diálogos ou gestos ao fim do dia, quando finalmente parávamos para acampar junto às dunas e não havia tempo a perder para montar a tenda e tirar as coisas necessárias para o jantar e para a noite enquanto havia luz. E então a Cláudia desaparecia invariavelmente, para andar de mota ou conversar com os amigos, deixando-me a rogar pragas, na ingrata tarefa de espetar as espias da tenda no chão, para o que me faltava todo o jeito e vontade. Tínhamos combinado que ela se encarregaria da despensa e eu da cozinha, ela do acampamento e eu da condução. Tínhamos combinado tantas coisas! Só quando o deserto ficou para trás e Espanha apareceu à vista, quando navegávamos de volta para casa, atravessando o Estreito num barco que rasgava a escuridão líquida da noite e com o jipe destroçado arrumado no porão do navio, é que percebemos que todas as promessas estavam a chegar ao fim. O que nos trouxera até ali, entre amuos e tempestades de areia, entre o riso e a alegria, fora a necessidade de um mínimo de ordem e disciplina: era preciso chegar lá e voltar. Mesmo a desordem necessita de uma ordem que lhe dê um sentido para que não seja apenas leviandade.

Então, com o passar dos anos, fui pensando que um dia teria de contar esta história. Não a história de como atravessámos o deserto e voltámos, mas a história de como conseguimos chegar ao deserto. Devo isso à Cláudia. Não posso continuar a guardá-lo só para mim.

Passaram já muitos anos. No outro dia, como já disse, estava a ver umas fotografias antigas, quando esbarrei com as da nossa viagem. Detive-me numa em que ela está sentada em cima do jipe e eu estou recostado para trás, ao lado dela. Há um grupo de companheiros de viagem à nossa volta, mas ambos parecemos alheados do que se passa. E, embora ela esteja em segundo plano, é a sua imagem que salta logo à vista, o seu ar de absoluta paz e tranquilidade, como nunca depois voltou a ver-lhe, mas sempre também aquela sombra, que ora parecia de alegria ora de tristeza, que enevoava os seus olhos e que hoje tenho desespero de não ter decifrado a tempo.

A Cláudia era bonita, eu acho que era mesmo muito, muito bonita. É verdade que nunca consegui perceber bem como era o seu corpo, embrulhado numas estranhas vestes, misto de *hippy* e tuaregue de empréstimo. Mas era magra, muito alta, frágil à vista, com uma cara de menina de Botticelli, cabelos loiros desgrenhados com graça, e uns olhos azuis pensativos, embrulhados em tristeza súbita ou deslumbrados de alegria. A voz era musical e segura, ao contrário dela que parecia ainda não mais do que uma miúda. Mas não era infantil, longe disso: tinha, sim, trejeitos de criança que, conforme o meu humor, ora a tornavam insuportável, ora irresistível. Juntava em si essa fabulosa combinação entre uma mulher sensual e uma criança desprotegida – a Marilyn que todos os homens desejam poder um dia proteger.

Ah, e falta dizer o mais importante: era generosa, aventureira, inconstante, doce de alma e de voz. Acreditava na amizade, na irresponsabilidade, na felicidade depois de tudo. Parti com ela para o deserto por simples acaso, porque sobrava um lugar vazio no meu jipe e ela era amiga de uma amiga minha. Não a conhecia de lado nenhum, vi-a dessa primeira vez no chão da garagem a arrumar a despensa do nosso jipe, e só voltei a vê-la na manhã chuvosa em que partimos de Lisboa. Mas não a teria trocado por nenhum outro companheiro de viagem. E, assim como a vi, deixei de a ver. Encontrámo-nos para atravessar o deserto juntos e logo nos separámos. Não ficou rasto algum, só duas ou três fotografias onde ela está e onde às vezes eu estou também.

Por isso escrevo esta história. Porque sinto a sua falta, muitas vezes. Gostaria de lhe perguntar se ela se lembra como eu me lembro, mas sei que sim. A Cláudia sempre gostou de desaparecer, mas isso não significava, de modo algum, que as coisas lhe fossem indiferentes. Eu sei que ela se lembra, sei que foi feliz então, como eu fui. Mas deve achar que eu me esqueci, que me fechei no meu silêncio, que me zanguei com o seu último desaparecimento, que vivo amuado com ela, desde então. Não é verdade, Cláudia. Vê como eu me lembro, vê se não foram assim, passo por passo, aqueles quatro dias que demorámos até chegar juntos ao deserto.

III

Partimos, então, de Lisboa, numa manhã de chuva, em Novembro. Partimos simbolicamente da Torre de Belém, o lugar mítico das antigas viagens dos navegadores portugueses de Quinhentos. Foi uma ideia dos organizadores da expedição para atrair a imprensa e, com isso, satisfazer os patrocinadores da viagem. Havia alguns jornalistas, vagamente interessados no assunto, deambulando por ali, recolhendo fugazes declarações de circunstância de "aventureiros" de circunstância. Foi uns anos antes de aparecerem os telemóveis e os GPS, e as viagens no Sahara argelino implicavam semanas sem comunicações com a casa, navegando por bússola e antigas cartas militares compradas nos alfarrabistas de Paris. Isso justificava o epíteto de "aventura" dado à viagem e todos os nossos jipes ostentavam um autocolante da organização que rezava "Gosto de Aventura". Mas é verdade que havia uma coisa que, essa sim, era genuína: tínhamos uma possibilidade real de nos perdermos na travessia, de ficarmos dias e dias a fio, como nos aconteceu de facto, sem cruzar vivalma – homem, veículo ou animal. Ou seja, o deserto então era verdadeiramente deserto, travessia e descoberta.

Todavia, nessa manhã de Novembro, na Torre de Belém, nós só sabíamos ainda que iríamos estar fora e sem notícias daqueles a quem mais queríamos durante muito tempo – quatro, cinco, seis semanas. Por isso, estavam lá também pais, filhos, mulheres e maridos, namorados e namoradas. Estavam os pais da Cláudia: uma senhora estrangeira, alta, magra, loira e bonita, e um senhor com um ar discreto e calmo, que era o pai. Havia alguma indecisão instalada entre eles e a filha, como se não conseguissem resolver se a altura era para mimá-la ou para soltá-la.

E assim partimos por ali abaixo, por Alentejo e Andaluzia fora, dezasseis jipes e quatro motas. Ainda almoçámos todos no lado de cá da fronteira, mas já não jantámos juntos: os *pueblos* da Andaluzia dispersaram-nos pelo mapa. Nós combinámos seguir até ao dia seguinte com um casal amigo da Cláudia, que viajava num *Nissan Patrol* – o carro em que eu também gostaria de estar. Jantámos e dormimos algures já perto de Algeciras e lembro-me de ter comido uma *chuleta de ternera* com uma cerveja *San Miguel.* Pus uma moeda na *jukebox* para ouvir o *Stand by me*, pedi uma aguardente *Domecq*, acendi um *puro* e fui fumar lá para fora, para o terraço do restaurante, vendo os faróis dos carros que desciam a *carretera del sur* em direcção ao mar. Sentia-me feliz, entusiasmado e cheio de vontade de regressar ao deserto e, desta vez, atravessá-lo para baixo, até quase ao Níger, e de volta para casa. Tinha-me tornado fotógrafo *freelance*, mas também escrevia e filmava, e, por isso, além de uma máquina *Nikon* e uma *Leica* e de três objectivas, trazia também uma máquina de filmar *Ikagami* e vinte cassetes vídeo – quinze horas de filmagem. Em princípio, e se houvesse tempo e capacidade de organização para tudo, eu já tinha contratado a venda do trabalho a duas revistas e uma televisão. Era uma boa vida, mas não dava para fumar um *puro* todos os dias. Porém, nessa noite dava, nessa noite fria da Andaluzia, já quase à vista do Estreito e de África.

Através do vidro da porta do terraço, reparei que a Cláudia falava imenso com os outros seus amigos e que, aparentemente, nunca olhava para onde eu estava. Acabei o *Montecristo nº 4*, cuja ponta mergulhara várias vezes no copo de aguardente, como gosto de fazer, e voltei para dentro quando comecei a sentir-me enregelar. Passei pela Cláudia e pelos outros, disse-lhes "Boa noite, até amanhã às oito!" e fui para o meu quarto.

Voltámos a encontrar o resto da caravana ao pequeno-almoço, em Algeciras, manhã bem cedo. Todos eles embarcavam ali para Ceuta e de lá seguiriam directos para a fronteira argelina, mais a sul. Nós, não: nós tínhamos de ir apanhar o barco a Alicante, rumo a Oran, directamente na Argélia, e dali fazer 600 quilómetros até Argel, porque só lá é que me passariam a autorização que nos permitiria circular no país com o equipamento de filmagem e de fotografia e poder filmar e fotografar à vontade sem sermos suspeitos de pertencer à CIA ou à DST francesa. Fizemos as contas ao tempo de que necessitaríamos para chegar a Argel, sacar a licença no Ministério da Informação e alcançarmos Ghardaia, a sul de Argel, a última cidade antes do deserto: marcámos encontro no parque de campismo de Ghardaia e foi-nos dada a hora limite até à qual esperariam por nós: sete da manhã de daí a setenta e duas horas. Se estivéssemos lá até essa hora, muito bem; se não estivéssemos, adeus viagem, eles seguiriam pelo deserto adentro sem nós.

Ficámos a ver o grupo todo a embarcar em Algeciras, no primeiro *ferry* da manhã. Quanto a nós, tínhamos bilhetes reservados para o barco que saía de Alicante às seis da tarde. Mas sucede que eu não fazia ideia de onde ficava Alicante. Pior: não tinha mapa de estradas, não me tinha ocorrido perguntar a ninguém e, estupidamente, talvez devido à semelhança dos nomes (Algeciras-Alicante), tinha concluído que ficava logo ali a seguir, na costa. De modo que, com tantas imaginadas horas para gastar pela frente, fomos ainda passear a Málaga, a pretexto de que era a terra-berço do Picasso e tinha umas palmeiras lindas. Voltámos ainda a parar num café, esticámos as pernas, apanhámos sol, comprámos pão fresco e água e, nada mais havendo para fazer, resolvemos arrancar tranquilamente e ir almoçar, bem e com tempo, algures pelo caminho.

E, tranquilos, arrancámos: 20 quilómetros, 30 quilómetros, 50 quilómetros, e nada: nem uma indicação que rezasse "Alicante". Comecei a achar que qualquer coisa não batia certo e aproveitei, quando parámos numa estação de serviço para abastecer os depósitos, para me informar melhor.

– ¿Alicante? – O homem da bomba olhou para mim, como se eu fosse o mais imbecil dos turistas. – Muy lejos...

– ¿Cómo, muy lejos?

– ¡Seguro que unos 400 kilómetros!

Caiu-me tudo aos pés, a começar pelo estatuto de "chefe". Rapidamente, fiz um cálculo mental: 400 quiló-metros em estrada nacional, cheia de trânsito e com inú-meras terras para atravessar, com feiras e festas porque era sábado; um UMM de três toneladas que não passava dos 140 com vento pelas costas e um condutor que nunca tinha visto um jipe na vida; e o barco que saía às seis e fechava o *check-in* uma hora antes. Que horas eram? Dez e meia da manhã – faltavam seis horas e meia.

Era possível? Não, não era. Era matemática, dramá-tica, miseravelmente impossível. Sentei-me ao volante e arranquei em fúria. A Cláudia não disse nada, só olhou para mim pelo canto do olho.

– Estamos tramados: Alicante fica a 400 quilómetros de distância!

– E só agora é que descobriste? – perguntou-me ela, com um sorriso trocista.

– Porquê, tu já sabias?

– Não, mas julguei que soubesses...

Felizmente, a buzina era forte e ouvia-se quase em Ali-cante. Agarrei-me à buzina, ao acelerador, à caixa de velo-cidades e ao descontrole e investi como um louco pela N 340, constatando, com alívio, que quando os espanhóis viam pelo retrovisor aquele monstro desembestado que avançava direito à traseira deles como se não tivesse travões afastavam-se assustados para a berma, berrando-me palavrões, mais do que justos, pela janela.

A Cláudia, como eu já havia reparado, tinha o mau hábito de nunca querer pôr o cinto de segurança senão após insistentes pedidos. Mas, desta vez, vi-a colocar discretamente o cinto e aos poucos ir-se encolhendo pelo banco abaixo, como se não quisesse ver a estrada. Ficou uma meia hora sem dizer nada e sem que eu percebesse se estava preocupada, zangada comigo, irritada ou apenas indiferente ao desfecho daquela súbita crise. Depois, e como era característico nela, mudou de disposição sem aviso, assim como quem acorda de repente. Pôs a sua voz mais doce e perguntou:

– Não paramos sequer para almoçar?

Olhei-a, quase ofendido. Rugi entre dentes:

– Claro. Mas só se for num três estrelas Michelin e que tenha o telefone do porto de Alicante para pedirmos ao barco que espere por nós.

Ela voltou a amuar, aquela expressão de menina mimada sem o hábito de ser contrariada: era um lado falso dela. Era muito mais estóica do que fingia, mas gostava de se fazer de criança maltratada. Não sei se já disse, mas eu não conseguia resistir-lhe nessas alturas, quando a via a fazer beicinho e me fazia sentir o lobo mau.

– Temos pão fresco e podes arranjar lá atrás qualquer coisa que a gente possa comer em andamento...

Ela saltou por cima do banco e foi à "despensa", de onde voltou com dois chouriços dentro do pão e uma lata de cerveja que ficou a segurar para irmos bebendo a meias.

E assim seguimos, almoçando em andamento e verdadeiramente como loucos.

Ao longo das semanas pela frente, eu iria aprender inúmeras e distintas lições de condução de um jipe em condições invulgares: aquela foi apenas a primeira. Ali, na N 340, aprendi rapidamente, por instinto e por desespero, como usar a ameaça das quase três toneladas de um jipe para fazer os carros da frente abrirem passagem, se necessário fugindo para a berma; como fazer desviarem-se os que vêm de frente, para nos permitir ultrapassar no limite; como aproveitar o "efeito de aspiração" do carro da frente para ganhar embalagem e o ultrapassar, como tinha visto fazer na Fórmula 1, e que ou era impressão minha ou também funcionava ali; como conseguir que aquele mastodonte, construído contra todas as leis da aerodinâmica, curvasse em *slice*, como um carro de *rally*; como travar no limite da catástrofe, sem entrar em derrapagem; como utilizar a buzina como um selvagem e dizer três palavrões por minuto; e como aguentar tudo isto durante cinco horas, perguntando de cinco em cinco minutos quanto tempo faltava e quantos quilómetros restavam para Alicante. E, durante todo esse tempo, a Cláudia nunca se queixou, nunca gemeu, nunca tremeu, como se estivéssemos na Feira Popular e aquele fosse verdadeiramente o melhor programa imaginável para um sábado à tarde!

"Caramba – pensei para comigo –, a miúda aguenta--se!" Foi aí, suponho, que comecei a perceber a importância que ela iria ter naquela viagem e como tudo teria sido diferente, pior e mais triste, sem a sua presença.

Parecia que todo o Sul de Espanha estava em festa, naquele sábado: devia ser dia de santa ou coisa que o valha. A população inteira das aldeias e vilas que atravessávamos tinha vindo para as ruas passear-se por grupos inteiros, e, para agravar as coisas, não havia um único *by-pass* que contornasse uma povoação: todas tinham de ser atravessadas a passo de camelo, num ritmo exasperante. Estava já o Sol a começar a pôr-se quando finalmente apareceu a primeira placa indicativa de Alicante: 50 quilómetros. E estava na hora do embarque, lá, em Alicante.

Entrámos na cidade, vindos do oeste, por uma longa estrada que descia em curva junto ao mar e acompanhando a costa. Foi um acaso feliz termos entrado pelo lado do mar: necessariamente que o barco tinha de estar por ali, algures mais adiante. Enfim, a placa "Puerto" apareceu-nos à frente. Virámos sem sequer travar e tão depressa que logo a seguir, vendo o que me pareceu a entrada do porto, meti por ali adentro e tive de travar a fundo quando vi uma sentinela sair de uma guarita de arma em punho, apontada a nós. Um engano, que nos poderia ter saído fatal: era um quartel e, àquela velocidade e com a falta de maneiras com que entrámos por ali adentro, foi uma sorte o soldado não ter aberto logo fogo, julgando que fôssemos algum comando da ETA. Mas o meu tom de voz devia ser tão desesperado, que as confusas explicações que dei à sentinela lhe devem ter parecido sinceras e, com um gesto da arma em riste, mandou-nos dar meia volta e apontou-nos o caminho do porto.

Era logo ali, no portão ao lado. A noite caía já por completo, às seis da tarde de um dia de Novembro. O porto estava todo iluminado, mas com um ar de fim de feira, que prenunciava catástrofe. Sem saber para onde me dirigir, entrei aos ziguezagues, como se procurasse a salvação em algum lado, até que a Cláudia me apontou em frente:

– Ali, deve ser aquele.

Lá estava ele, o nosso barco, o *Ciudad de Oran*, ou coisa que o valha, esqueci-me do nome (terás tu guardado os bilhetes, como recordação?). Sim, ali estava ele: enorme, branco, imponente, inacessível. Ao contrário do ambiente em terra, a bordo todos os seus três andares pareciam estar em festa, profusamente iluminados. Lá de dentro vinha um som de muitas vozes, muita animação, muitos ruídos de um barco pronto a zarpar: era uma tentação juntar-mo-nos a eles. Mas havia um pequeno problema: todas as portas e escotilhas estavam fechadas, não havia nenhuma escada que o ligasse a terra, onde apenas o detinham ainda dois cabos, à proa e à ré. Manifestamente, já não esperavam passageiros nem carga.

A olhar fixamente para o *Ciudad de Oran*, só de repente me apercebi de que ia direito a dois vultos saídos do escuro e que caminhavam vindos do barco, um dos quais vestia uma farda com dragonas ou divisas que o tornava suspeito, aos meus olhos de leigo, de ser a autoridade portuária local. Travei a fundo a poucos metros deles, consegui até ver o ar espantado do "almirante", levantando uma sobrancelha na minha direcção. Tive então o momento de maior inspiração de toda a viagem: saltei do volante quase em andamento e fui-me ajoelhar aos seus pés de mãos postas.

– Senhor – supliquei em posição de reza –, temos bilhetes e reservas para este barco e precisamos desesperadamente de embarcar nele. Por favor, ajude-nos!

Aparentemente, o tipo achou graça à minha encenação dramática, porque sorriu, fazendo-me sinal para me levantar:

– Eu, por mim, até os ajudava, porque ainda sobram dois lugares para carros no porão. O problema é que a Alfândega já fechou e o chefe já foi para casa.

Não podia acabar assim, com essa simplicidade burocrática. Nas minhas costas, a Cláudia esperava, sentada no jipe e observando a cena pela janela aberta. Na escuridão, não dava para ver bem a sua cara, mas não era difícil de adivinhar o que estaria a pensar: "Que imbecil! Por incompetência dele, perdemos o barco, toda a viagem foi por água abaixo e agora ele está convencido de que é a fazer teatro que nos safamos!"

Sim, imaginei o que tu estarias a pensar, a viagem dos teus sonhos deitada a perder de forma tão estúpida porque tinhas aceite a boleia de um jornalista acabado de conhecer numa garagem de Alvalade, e, por solidariedade de companheira de viagem, o tinhas acompanhado no desvio por Alicante e Argel, e eis que a recompensa era esta: adeus, Sahara. Adeus para sempre, porque o próximo barco a partir dali era só daí a uma semana, e se quiséssemos ir por Algeciras, voltando para trás, eu não tinha autorização para entrar em Marrocos.

Não, não podia acabar assim. Voltei-me outra vez de mãos postas para o espanhol comandante do porto de Alicante e pus-lhe a minha vida nas suas mãos:

– Oiça, senhor: eu sou jornalista, trabalho para a televisão e para uma revista portuguesa, vou fazer uma reportagem sobre o Sahara e trago ali todo o material de fotografia e filmagem. Vamo-nos encontrar com uma caravana de portugueses daqui a três dias, no Sul da Argélia. Eles já embarcaram por Marrocos, mas nós só temos visto de entrada para a Argélia. Como o próximo barco a sair daqui é só dentro de uma semana, os outros já não esperarão por nós e está tudo perdido. E tudo isto porque eu julguei, não sei porquê, que Alicante era ao lado de Algeciras e, quando descobri que não era, viemos por aí abaixo como doidos e foi o melhor que conseguimos. Arriscámos a vida para chegar aqui ainda com o barco no porto. E a minha televisão, que é pobrezinha, investiu muito dinheiro neste projecto. Estamos há um mês a preparar a viagem e tudo em vão porque nos atrasámos, logo no princípio. Imagine-me a voltar para Lisboa e explicar aos tipos da televisão e da revista que a reportagem se perdeu e o dinheiro foi deitado à rua porque eu não sabia onde ficava Alicante! É o fim da minha carreira jornalística! E olhe que até estava a ser recompensadora...

O tipo hesitou um segundo e eu aproveitei:

– Está ali o barco ainda, nós aqui... vá lá, é só mandar abrir o porão, outra vez!

– Bem, vou ver se convenço o chefe da Alfândega a voltar, mas vai ser difícil, ele gosta de jantar cedo. Tem aí os bilhetes? Passe-os para cá!

Passei-lhos, sôfrego, como passaria tudo o que ele me pedisse, na altura.

Pus-me a caminhar dois passos atrás dele até ao edifício da capitania do porto, muito embora a minha vontade, a custo contida, fosse saltar-lhe ao pescoço, enchê-lo de beijos e empurrá-lo lá para dentro a correr.

O tipo agarrou no telefone, telefonou ao Paco à minha frente e pôs-se a descrever-me, a mim e à situação, enquanto eu lhe ia dirigindo estúpidos sorrisos de incitamento. Nessa altura, apareceu também a Cláudia, perguntando o que se passava.

– Estamos na iminência de um milagre ou de uma tragédia – respondi-lhe. Ela encolheu os ombros, como se dissesse: "Pobre diabo, cheira-me mais a tragédia!", e saiu para fumar um cigarro, pensando que decerto não havia esperança. Nem Plano B.

O "almirante" desligou o telefone, olhou para mim com ar muito sério, fez uma pausa castigadora e disse:

– Tragam os passaportes, os documentos do carro e a listagem de todo o material de filmagem e de fotografia que levam e vão preenchendo estes formulários. Rápido!

Quase me engasguei a gritar para fora, à Cláudia:

– Passaportes, documentos do carro e listagem do material de filmagem, que está aí na bolsa dos documentos! E esferográficas! Já!

O *Ciudad de Oran* esperava pacientemente, preso por dois cabos, nas águas quietas do porto. Meia hora, vários carimbos e *muchas gracias* depois, voltei a sentar-me ao volante do UMM, ainda não querendo acreditar. Lentamente, porém, a larga porta do porão começou a abrir, baixando-se em direcção ao solo, para se transformar em ponte de acesso ao seu interior. Alguém me fez sinal para avançar, resmungando entre dentes qualquer coisa sobre "los portugueses". Subi a rampa, entrando numa imensa garagem atulhada de carros. Sobrava só um pequeno espaço junto à porta e aí nos arrumámos: estávamos a bordo!

Muito levezinho...
30/ Setembro/209
USA

IV

Um navio é apenas um navio e um *ferry* nem sequer é um navio por aí além. Mas aquele era imenso e era árabe: um navio extraordinário. Era o próprio bazar, dividido por três andares acima do porão e posto a navegar na noite escura do Mediterrâneo.

O *Ciudad de Oran* escalonava-se de cima para baixo, conforme as classes. Guiados por um funcionário, a quem não assentava a qualificação de marujo, fomos subindo até ao último andar, correspondente à primeira classe, que era a dos nossos bilhetes. Mas, em vez de subir a direito, da garagem ao último andar, a escada estava dividida em lanços e cada um deles começava na ponta oposta ao local onde terminara o anterior. Isso forçou-nos a atravessar literalmente o barco inteiro aos ziguezagues, enquanto íamos subindo. Melhor, isso permitiu-nos surpreender uma pequena multidão de argelinos regressando à Pátria, sentados em bancos de madeira corridos – as mulheres e as crianças – ou deambulando pelos *decks* – os homens – e ocupados na intimidade das suas tarefas ou hábitos, que nós íamos devassando constrangidos, perante os seus olhares silenciosos. A Cláudia nunca havia estado antes num país árabe e aquela longa travessia em ascensão por patamares do *Ciudad de Oran* foi como que um baptismo de fogo inesperado e surpreendente. Caminhávamos em silêncio, com extrema cautela para não pisar ninguém nem coisa alguma, olhando disfarçadamente para os lados e pedindo delicadamente passagem quando alguém obstruía o caminho. Mas era impossível passarmos despercebidos, sobretudo a Cláudia que, nova, loira, de olhos azuis, cara descoberta, *jeans* e cabelo solto aos quatro ventos, despertava olhares frontais de concupiscência dos homens e olhares oblíquos de mulheres vestidas de negro e cara semitapada.

"*C'est parti!*", pensei para comigo: eis-nos no mundo árabe. E, claro, pensei logo (tamanha era a vontade de pensar) no *Estrangeiro* de Camus. Porque é isso que eu me sinto sempre entre os árabes, por mais que me esforce por convencer-me de que todos nós, na Península, temos um pouco de sangue árabe: um estrangeiro. E, enfim, chegámos lá acima, à primeira classe, onde alguns, poucos, estrangeiros como nós e igualmente fardados de "aventureiros", nos olharam de alto, como se fôssemos extra-numerários.

E éramos. Os nossos dois camarotes, a que os bilhetes davam direito, já não podiam ser abertos pois já toda a gente tinha sido instalada nos seus lugares ou camarotes, segundo nos explicou o guia, abandonando-nos, com os nossos sacos de mão, no *deck* superior.

– Paciência, dormimos aí num banco qualquer! – conformou-se a Cláudia, que começava a revelar um inesperado espírito de adaptação, que eu iria aprender a admirar a sério nos dias seguintes.

Ah, mas o mundo árabe não funciona assim! A regra principal é: nada tem uma solução definitiva e não há nada que não tenha algum tipo de solução provisória. É um pouco como dizem da vida os que sabem viver, adaptando-se.

Não, não íamos dormir num banco de madeira, depois de seis horas sentados no jipe!

– Talvez haja uma hipótese de dar a volta à situação...

– Qual é? – perguntou ela, fingindo-se exausta.

– Bakshish.

– O quê, haxixe?

– Não: bakshish. Já vais ver o que é.

Olhei à roda e vi um rapaz, que não devia ter mais de catorze anos mas que vestia uma espécie de farda com uma placa de latão ao peito e parecia ter como função vigiar o *deck* da primeira classe. Dirigi-me a ele e felizmente ele falava francês. Expliquei-lhe a situação e é claro que ele disse logo que era impossível.

– Quanto impossível?

– Vou ver.

E voltou passados dez minutos, acompanhado por um sénior vestindo uma farda nitidamente mais importante, mas que não abriu a boca: ou porque não falava francês ou porque não estava nos seus hábitos tratar daqueles detalhes.

– Dez mil pesetas – anunciou-me o miúdo (ainda não havia euros e negociar em dinares da Argélia seria matar a negociação à cabeça).

– Dez mil pesetas, o quê?

– Um camarote de duas camas: é tudo o que se arranja e é um favor muito especial, porque...

– Dois camarotes não se arranja?

– Não há: vou ter de fazer sair alguém para vos dar este. – E olhou para mim com um ar de desdém, pensando que espécie de homem seria eu para lhe fazer tal pedido.

– Dez mil pesetas por um camarote só?

– E é uma sorte, porque, como já expliquei...

Interrompi-o, porque, de outro modo, aquilo iria demorar horas e ainda meteria um chá de menta, antes de chegarmos a um preço final.

– Não, dez mil pesetas por um camarote é muito caro: dou-te cinco mil, ou então dormimos no chão.

Consultaram-se entre eles. Mediram-me devidamente. Perguntaram-me de que país era. Era português. Suspiraram, conformados: há oitocentos anos que negociamos com eles e nem sempre perdemos.

– Sete mil pesetas e podem ficar com as chaves do camarote, para irem dar uma volta se quiserem.

– Seis mil.

– OK. Pas de problème.

Voltei triunfante para a Cláudia: quem é chefe competente, quem é?

– Consegui, mas só têm um camarote.

– E achas que eu ficava sozinha num camarote aqui?

"Camarote" era uma designação demasiado sofisticada para descrever uma cabine de aço, com dois metros quadrados e dois beliches igualmente de aço, sem luz eléctrica nem sombras de casa de banho: um luxo, para quem nem sequer esperava estar a bordo.

– Gostam? É bom, não é? Não menti, pois não? – perguntava, sorridente, o nosso miúdo (vamos chamar-lhe Ahmed, porque também me esqueci do nome dele).

– Óptimo, óptimo – respondia a Cláudia. – É exactamente o que eu estava a precisar!

– Mais alguma coisa que eu possa fazer ("encore un service")?

– Bem, agora, gostávamos de jantar: ainda nem sequer almoçámos! – respondi-lhe, reparando que estava a ser tomado por uma espécie de euforia que, por sorte do destino, me atinge normalmente nestes lugares e em ocasiões destas.

– Ah, isso é impossível! Absolument impossible! – E Ahmed sorriu largo, mostrando o quanto deveria sofrer dos dentes. – O restaurante já fechou há muito: servimos o jantar enquanto esperávamos por vocês. Agora os cozinheiros já se foram todos deitar.

– Vai lá ver se ainda está algum acordado.

A Cláudia olhou-me e sorriu:

– Se conseguires também que nos arranjem jantar, juro que começo a ficar espantada contigo!

E eis que regressava o Ahmed:

– Pois, como eu disse, é muito complicado. Os cozinheiros já se foram todos deitar, o restaurante está trancado e...

– Sim, vá lá, quanto?

– Dez mil pesetas.

– O quê?

– Dois jantares, mas têm de ser rápidos.

– Não: cinco mil.

– Sete mil e tem de ser já.

– Seis mil.

– OK, pas de problème.

Jantámos uma massa com carne de borrego e um molho espesso, com pedaços de cenoura e *courgettes*, acompanhada por um bocado de pão espanhol e depois, à escolha, uma maçã ou uma laranja. A mim, soube-me divinamente, apesar de o único talher ser uma colher e a única bebida água.

– Vinho, Ahmed?

– Ah, não! Aqui é proibido. Somos muçulmanos.

Resolvi testá-lo:

– Dez mil pesetas?

– Não, não. Desta vez é mesmo impossível.

Se nem dez mil pesetas o abalavam, devia ser mesmo impossível. Mas a minha euforia ainda não estava saciada.

– Ahmed, preciso de mais um serviço...

– Ah, oui? – E escancarou a boca num imenso sorriso que me fez pensar que realmente tínhamos de contribuir para a ida daquele rapaz a um dentista.

– Sabes que nós, os infiéis, gostamos de beber álcool às refeições ou, ao menos, depois delas...

– Sim, eu sei. – E fez um ar pesaroso, como se já me imaginasse a arder no fogo do Inferno.

– Bom, eu tenho uma garrafa de *whisky* no meu jipe. Arranja-me maneira de ir lá buscá-la.

Desta vez pareceu-me que ele ficou mesmo assustado. Recuou até, olhando para mim incrédulo.

– Impossible. Absolument impossible!

– Não, não há impossíveis para ti.

– Tout à fait impossible! O porão é fechado à chave por razões de segurança. Tem um guarda lá dentro, toda a noite. Aliás, há um guarda em cada *deck* e, a esta hora, é proibido os passageiros de um *deck* passarem para outro.

– Vá lá, tu és capaz de falar com eles e convencê-los...

– Impossível!

– Vamos lá!

– Está bem, mas vamos ter de pagar a todos e o meu serviço é à parte.

– Quanto é o teu serviço?

– Dez mil pesetas.

– Não! Custa tudo dez mil pesetas? Não sabes dizer outro número?

– Três mil.

Suspirei: era o preço da garrafa. Mas ele precisava de ir a um dentista.

– OK. Vamos!

A Cláudia achou que eu tinha perdido a cabeça, quando lhe expliquei que ia tentar ir ao porão buscar uma garrafa de *whisky*.

– Não podes passar sem um *whisky*?

– Poder, posso. Mas não se perde nada em tentar.

– Olha, eu vou-me deitar: se não voltares, espero que fiques bem! E vou-me trancar por dentro!

Caramba, tínhamos acabado de nos conhecer!

A estratégia foi simples e brilhante: caminhávamos até às esquinas onde estavam os guardas de cada *deck*, o Ahmed à frente, eu uns respeitosos cinco passos atrás. Ele parlamentava com o guarda, por sussurros e gestos. Olhavam para mim como se eu fosse um caso perdido, depois o Ahmed vinha ter comigo e anunciava o preço com os dedos da mão. Não dava para discutir, eu pagava e a porta abria-se: mil pesetas na primeira classe, quinhentas na segunda, setecentas na terceira, mil no porão. Mais os três mil do Ahmed. Seis mil e duzentas pesetas até chegar à minha garrafa de *whisky*, guardada nas profundezas da carga do UMM. Pelo caminho, atravessámos, ida e volta, tão silenciosamente quanto pudemos e fazendo exercícios de malabarismo para não tocar em nenhuma perna nem em nenhum corpo estendido no chão, os três andares do *souk* adormecido. Mas emocionante mesmo foi a parte do porão: o guarda abordado e convencido pelo Ahmed estava dividido entre o medo e a tentação das mil pesetas caídas do céu ou do *deck* superior, explicando que o seu chefe estava na outra ponta da garagem e que, se nos topasse, estávamos todos tramados. Ficaram os dois à esquina, vendo-me caminhar, encostado aos carros e na quase escuridão do porão, apenas alumiado por umas ténues luzes de presença no tecto, até chegar ao meu UMM e abrir lentamente a mala traseira, rezando para que a porta não rangesse. Tudo se passou rapidamente e bem até aí, só que, chegado ao jipe e tendo desligado logo a luz do tejadilho, não conseguia, às escuras, dar com a garrafa de *whisky* no meio daquela caverna de Ali Babá atestada até acima de carga – e que, todavia, era suposto estar arrumada de forma a tornar rapidamente acessível qualquer coisa de que se precisasse. "Arrumação inteligente", tínhamos nós concluído em Lisboa, e aquela incursão nocturna foi a primeira de incontáveis vezes em que, ao longo das mais de cinco semanas que se iriam seguir, eu iria rogar-nos infinitas pragas pela estupidez daquela arrumação e jurar a mim mesmo que haveria de repetir a viagem apenas para provar que era capaz de arrumar um jipe de forma verdadeiramente inteligente.

Estava eu ali enfiado, de rabo para fora, apalpando tudo à roda, quando senti uma presença nas minhas costas que me deixou sem pinga de sangue. Mas era o Ahmed, que me explicou por gestos que tínhamos de sair dali imediatamente. Não era possível: seis mil e duzentas pesetas, tanto trabalho e tanta emoção, e voltava de mãos a abanar porque não conseguira dar com a garrafa! Eu ia matar a Cláudia! Maldita noção feminina de arrumação: então a garrafa de *whisky* não deveria estar logo ali à mão?

Conformado, pressionado pelos gestos angustiados do Ahmed, que já me puxava pela manga do casaco, comecei a fechar devagarinho a porta da bagageira. Nisto, soltou-se lá do alto da carga um objecto que veio rolando por ali abaixo e que agarrei no último segundo, antes de cair ao chão e acordar o Adamastor daquele porão: porra, era a garrafa de *Cutty Sark*!

Emergi de volta à vida do *deck* superior, triunfante e com a minha preciosa garrafa escondida dentro da roupa. Mas não havia comité de recepção para me ovacionar: a Cláudia estava do lado de fora, ao frio, a fumar. O Ahmed olhou para mim e, antes que eu pudesse dizer qualquer coisa, disse ele.

– C'est fini pour ce soir. Acabaram os meus serviços!

Mas lembrei-me ainda de mais uma necessidade. Era preciso pensar para a frente.

– Espera aí, Ahmed! Diz-me uma coisa: a que horas chegamos a Oran, amanhã de manhã?

– Às oito e meia.

– E a que horas servem o pequeno-almoço no restaurante?

– Começa às seis e meia e acaba às sete e meia.

– Ah, preciso de um dernier service teu...

– Quoi, que veux-tu, maintenant? – E olhava-me, aterrorizado.

– Arranja-te para nos trazerem o pequeno-almoço ao camarote às oito.

– Impossible! Não há pequenos-almoços no quarto. Não há pequenos-almoços às oito.

– Combien?

Ele sorriu. Ia a responder dez mil, mas emendou a tempo:

– Quatro mil.

– C'est fait. – E estendi-lhe a mão para me despedir. Mas a dele estava estendida para receber. Hesitei um segundo, mas logo tive vergonha da minha hesitação. Meti a mão ao bolso e saquei quatro mil pesetas. Então, ele apertou-me a mão: foi a última vez que o vi.

Fui ao camarote buscar o meu blusão de penas e fui lá para fora, com a garrafa, juntar-me à Cláudia. Sentei-me ao lado dela num banco, abri a garrafa, servi um *whisky* na própria tampa e estendi-lha.

– Não te disse que não gosto de *whisky*?

O cabelo voava-lhe com o vento, encobrindo-lhe a cara. Mas percebi que estava gelada e feliz, olhando a esteira branca da espuma do navio e fumando o seu cigarro. Engoli de uma vez a dose de *Cutty Sark*, que pareceu uma labareda de fogo naquele frio polar.

– Mas que ideia foi esta de vires para aqui com este frio? Queres chegar ao deserto constipada?

– Não, vim fumar.

– Mas porque é que não fumas lá dentro?

– Não posso.

– Não podes?

– Não, destes não posso. – E soltou uma longa baforada do estranho cigarro em que eu agora reparava. Um cheiro perfumado do bom *kif* do Atlas subiu no ar, apanhou o vento e desapareceu em direcção a Gibraltar.

Ela olhou para mim e riu-se: parecia uma criança feliz.

– Olha, enquanto foste na tua excursão ao *whisky*, segui o teu método do *bakshish* e tratei do haxixe.

Meia hora depois, dormia, como se o mundo inteiro não existisse, enrolada no seu beliche e vestida dos pés à cabeça, com nojo de se deitar nos lençóis do *Ciudad de Oran*.

Eu não consegui, ou não quis, adormecer tão cedo. Liguei o meu *walkman* e fiquei a ouvir um lado inteiro de um disco do Bob Dylan. Adormeci com ele a perguntar-me ao ouvido: *How many roads must a man walk down/ Before you call him a man?/ Yes, and how many seas must a white dove sail/ Before she sleeps in the sand?* E, mesmo antes de fechar de vez os olhos e cair na inconsciência, respondi-lhe: *I don't know the answer, my friend...*

Acordei, acordámos todos a bordo, com um apito prolongado e lânguido do *Ciudad de Oran*. A claridade penetrava através da cortina da escotilha do camarote. Olhei para o relógio: oito e quarenta. Pela primeira vez, Ahmed desiludira-me: não mandara o pequeno-almoço já pago. E, afastando a cortina da janela, pude ver que as cúpulas de cor dos minaretes brancos de Oran brilhavam à luz da manhã nascente.

HOUVE pouco interesse, mais principalmente para nós, depois de tanto barco...

30 Setembro, 2009

V

Na verdade, o deserto não existe: se tudo à sua volta deixa de existir e de ter sentido, só resta o nada. E o nada é o nada: conforme se olha, é a ausência de tudo, ou, pelo contrário, o absoluto. Não há cidades, não há mar, não há rios, não há sequer árvores ou animais. Não há música, nem ruído, nem som algum, excepto o do vento de areia quando se vai levantando aos poucos – e esse é assustador. Será assim a morte, também, Cláudia?

Quando um de nós ficava parado a contemplar o deserto, o outro não deveria dizer nada. Tudo o que se pudesse dizer, naquelas alturas, ali, em frente ao nada ou ao absoluto, seria tão inútil que só poderia vir de uma alma fútil. Tudo o que se diz de desnecessário é estúpido, é um sinal destes tempos estúpidos em que falamos mais do que entendemos. No deserto, não há muito a dizer: o olhar chega e impõe o silêncio. Mas, naqueles dias, eu estava sempre com pressa. Alguém tinha de estar sempre com pressa e coubera-me a mim, por função. Só não tinha pressa à noite, depois de montado o acampamento, cozinhado o jantar, revisto e arrumado o jipe e de ter passado para um caderno as notas do trabalho do dia e quando, enfim, me sentava com os outros à lareira a olhar as estrelas do Sahara.

Um dia, porém, depois de mais uma paragem para colher imagens, ao regressar ao jipe vi que tinhas ficado ao lado da pista, a olhar em frente, como se te tivesses desligado de tudo. Ia gritar-te, buzinar-te, quando qualquer coisa na maneira como tu estavas em pé a olhar o deserto, qualquer coisa na maneira como tinhas as mãos enfiadas nos bolsos, a cabeça ligeiramente inclinada de lado, o cabelo varrido pelo vento, me fez ficar quieto ao volante. E fiquei assim a observar-te até que tu te virasses e visses que estava à tua espera. Aprendi que é preciso dar tempo aos outros para olharem. Se não fosse para isso, porque teríamos nós vindo ao deserto?

Muitos anos mais tarde, neste ano em que escrevo esta história, estava num fim do mundo, junto ao rio Guadiana, num sítio tão vazio quanto o deserto, lá em baixo, no Alentejo. Estava a recuperar o fôlego de uma longa caminhada e tinha-me sentado numa pedra a olhar o rio que corria no fundo do desfiladeiro. Creio que estaria como tu estavas naquele dia, o mesmo olhar perplexo perante a vastidão daquele cenário: há alturas em que a beleza é tão devastadora que magoa. Devia haver qualquer coisa na forma como eu olhava aquela paisagem, todo aquele despojamento humano, que fez com que o alentejano que estava comigo, e que antes tinha sido pastor naqueles vales, comentasse:

– A terra pertence ao dono, mas a paisagem pertence a quem a sabe olhar.

E era assim connosco naqueles dias, também. Éramos donos do que víamos: até onde o olhar alcançava, era tudo nosso. E tínhamos um deserto inteiro para olhar.

Mas isso foi antes da manhã em que desembarcámos em Oran. Foi antes dessa manhã em que estávamos felizes por ter apanhado o barco que parecia perdido, ter atravessado o Estreito e estar em África. E de um de nós ter comentado, com toda a lógica:

– Já que fomos os últimos a meter o carro a bordo, agora vamos ser os primeiros a sair e a despachar-nos na Alfândega!

Tinha, de facto, toda a lógica, mas o oficial argelino da Alfândega não pensou assim. Olhou para o nosso jipe atulhado de carga e fez-nos um sinal imperativo e majestoso para que encostássemos ao lado e esperássemos. E esperámos: esperámos duas horas e 72 carros, até que a nossa vez de sermos inspeccionados chegasse. Já não havia mais ninguém nem carro algum para desembarcar: éramos só nós e o oficial da Alfândega.

Começou por nos mandar descarregar o jipe – tudo. Protestámos, pedimos, suplicámos. Em vão: tivemos de descarregar e espalhar no chão todo o conteúdo do jipe que demorara uma semana inteira a carregar em Lisboa. O homem passou revista a tudo, cada peça, cada saco, cada lata, cada utensílio. No fim, confiscou quatro das seis garrafas de *whisky*, uma das duas dúzias de latas de cerveja que levávamos e mais meia dúzia de *T-shirts* que pediu "por gentileza". Tudo inspeccionado, mandou-nos voltar a carregar, o que durou mais uma hora, retirando-se para o seu gabinete. E foi ali que passámos à segunda fase: a dos papéis. Estava tudo em ordem, menos a licença de filmar. Justamente – expliquei-lhe – era por isso que estávamos a entrar pela Argélia, em lugar de entrarmos por Marrocos, que era bem mais perto: para irmos a Argel levantar a licença de filmagem e a licença profissional de fotógrafo, que estavam lá à nossa espera, no Ministério da Informação.

– Ah, non, non! – respondeu ele, com um ar pesaroso. – Não é assim que as coisas se passam, aqui: vocês querem entrar no país com material profissional de filmagem? Têm de ter licença para filmar, ou não podem entrar.

Armadilha perfeita. Lógica imbatível de burocrata árabe. Procurei nos papéis e estendi-lhe o número do meu contacto no Ministério da Informação, em Argel.

– Ligue para este número e fale com este senhor: ele vai-lhe explicar que está à minha espera e que eu tenho autorização para entrar.

– Ah, désolé... É feriado nacional: está tudo fechado em Argel...

Nada a fazer, não morremos em Alicante, morremos em Oran?

Não, claro. Era preciso recorrer à velha regra dos países árabes: não há problema sem solução. E, quando não há solução para o problema, deixa de haver problema e resta só a solução: *bakshish*.

Saiu-nos caro, uma nota de cem francos franceses "esquecida" dentro do passaporte, mas, finalmente, os nove carimbos foram estampados em todos os documentos e, quatro horas depois de desembarcados em Oran, passámos a fronteira e apontámos à estrada, como quem sai de Alcatraz.

Cinquenta metros a seguir à fronteira, uma placa anunciou-nos que tínhamos acabado de entrar na "Auto-Estrada nº 1: Oran-Argel". Duas faixas de rodagem em cada sentido, "estes 600 quilómetros vão ser um luxo!", pensei para comigo. Primeira curva à direita, ao quilómetro zero, e aparece-me um carro na minha faixa, de frente e a fazer a curva em sentido proibido: só tive tempo de dar uma guinada ao volante, fugir para a berma de areia e olhar pelo retrovisor para ver, com grande satisfação, que aquele imbecil argelino "desviado do recto caminho", como diz o Corão, se tinha ido estampar contra o separador central. Bem-vindos às auto-estradas da Argélia!

Mas a "Auto-Estrada nº 1: Oran-Argel" acabava cedo, tão depressa quanto a pressa que levávamos. E assim gastámos esse primeiro dia inteiro em África a fazer os 600 quilómetros que nos separavam da capital argelina. Almoçámos, das nossas reservas, num piquenique montado à beira da estrada, à sombra de umas árvores. Também tenho uma fotografia tua, nesse piquenique, abrindo uma lata de conserva e sorrindo para a fotografia: mais uma vez, o que impressiona agora é ver como tu eras nova – nova e luminosa, o sol batia-te por trás dos cabelos louros e tu eras mesmo a miúda de Botticelli, uma Primavera transplantada da luz suave da Toscana para aquela luz dura da Argélia. Tudo, tudo, parecia ao teu alcance. Uma vida toda à tua espera, o mundo a teus pés, se o quisesses. Ou um deserto.

Nessa noite, quando chegámos ao quarto que partilhámos no hotelzinho em Argel (e porque tu tiveste medo de dormir num quarto sozinha e, já que inofensivamente tínhamos partilhado um camarote na noite anterior a bordo do *Ciudad de Oran*, achámos igualmente inocente partilhar aquele quarto onde só havia uma cama de casal), tu foste tomar banho em primeiro lugar. E porque a porta da casa de banho não encostava bem – e não sei se reparaste nisso –, de onde eu estava, estirado na cama, a repousar das oito horas ao volante mais o resto, vi-te a despir, a ficares toda nua e a entrares na banheira de água quente e nem por um momento me ocorreu deixar de o fazer. Estava cansado de mais para desviar o olhar.

Mas até chegarmos aí, até estarmos no quarto do hotel de Argel onde eu, deitado na cama, te espreitava impudicamente através da fresta da porta da casa de banho, tivéramos de ultrapassar mais uma demonstração da prepotência e arrogância das autoridades argelinas. Durante o piquenique na estrada, eu havia escolhido no *Guide du Routard* um hotel recomendado pelo preço e localização. E, ao entrar na cidade, flanqueando a costa, não fazendo a mais pequena ideia de onde ficaria o hotel, fizemos o clássico em tais ocasiões: parámos um táxi e contratámo-lo para seguir à nossa frente e indicar o hotel.

O homem cumpriu o seu contrato: guiou-nos até ao centro da cidade, enfiou por becos e ruelas, entrou no *souk* e, por fim, parou à entrada de uma rua e veio falar comigo:

– O hotel fica ali, a cem metros de distância, nesta rua. Mas é sentido proibido e teríamos de dar uma volta enorme até chegar lá. Vocês avançam devagarinho e se, por azar, aparecer algum polícia, dizem que são estrangeiros e que não se entendem com os sinais. "Pas de problème!"

E assim fomos avançando devagarinho, tal como ele tinha recomendado. Vinte metros, não mais do que isso: logo saiu um polícia ao caminho, atravessando-se à nossa frente e apitando como se Argel inteiro estivesse debaixo de um bombardeamento. Ensaiei o discurso que o taxista me tinha recomendado, mas foi em vão: a transgressão era "gravíssima" e não havia alternativa senão acompanhar o polícia ao posto. Achei que era apenas mais um contratempo, mas enganei-me. O cansaço, a proximidade iminente do hotel roubaram-me a lucidez e a paciência – a única coisa que não se pode perder num país árabe. Eles começaram a ameaçar-me e eu irritei-me e resolvi falar grosso. Foi o pior que podia ter escolhido: passado um quarto de hora, tinha recebido ordem de prisão. E a Cláudia lá fora, à minha espera!

VI

Sim, eu reparei que a porta da casa de banho estava semiaberta. Tentei fechá-la, mas ela não encostava à ombreira, ficavam dois palmos de espaço através dos quais eu via o quarto e via-te a ti deitado, vestido, sobre a cama. Para me despir e chegar até à banheira, tinha de atravessar esse espaço aberto através do qual também tu me podias ver. Despi-me, a água quente já me esperava na banheira e Deus sabe como aquele banho me apetecia! Passei a perna por cima da borda para mergulhar o pé e experimentar a temperatura da água. Ainda me ocorreu entrar lá para dentro de costas voltadas para a porta, mas depois, e como se fosse a coisa mais natural do mundo, virei-me, sim, de frente, completamente nua, e entrei na banheira. Ao entrar, olhei para o quarto e vi-te a olhar para mim. Foram apenas uns segundos e soube-me bem, não sei explicar porquê – talvez por vaidade, talvez porque já me sentisse íntima de ti e esse teu olhar não tivesse nada de estranho ou de maldade, talvez apenas porque eu queria que tu me visses e queria ver-te a olhar-me.

Com esse teu ar arrogante que às vezes me irrita tanto, tinhas-me dito, assim que entrámos na Argélia:

– Quando falarem contigo, fica ao pé de mim, porque tu não deves perceber palavra de francês. A tua geração não fala francês.

Por acaso, eu falava mal francês, só o pouco que me lembrava do liceu. E também queria ficar ao pé de ti, excepto quando me irritavas. Havia qualquer coisa em ti que me irritava e me atraía, ao mesmo tempo. Quando eras doce e querido, ou quando essa tua loucura latente ou essa tua alegria escondida vinham ao de cima, eu queria ficar ao pé de ti, porque me davas segurança e simultaneamente sentia que devia também proteger-te. Havia um conforto e uma paz ao teu lado que eu não sentia há muito, muito tempo, e que agora ia sentindo, aos poucos, a tomar conta de mim, como uma coisa antiga e segura, perdida lá longe, algures noutras guerras. Mas quando tu ficavas irritado e irritante, quando não querias ouvir as opiniões de ninguém e só sabias dar ordens e esperar que eu e todos à volta ficássemos esmagados pelo teu brilho e clarividência, aí eu afastava-me. Magoada contigo e irritada comigo por me deixar sentir assim magoada por ti. Eu ainda mal te conhecia!

Julguei ter percebido que ficaras aliviado por eu falar mal francês. Assim, não perdias ascendente algum sobre mim e nem te importavas de ter de fazer tantas vezes de intérprete. Mais tarde (naquela imitação de hotel em Djanet, onde ficámos uma noite, depois de um duche gelado numa espécie de chuveiro colectivo que fazia lembrar os fornos de gás de Auschwitz, e onde, na manhã seguinte, a polícia te prendeu quando estavas a filmar), encontrei um empregado que tinha sido emigrante na Alemanha e comecei a falar alemão com ele. Ficaste espantado e não resististe a meter-te também a falar alemão – bem pior que o meu francês. E eu a rir-me por dentro do teu esforço a fingir que percebias tudo! Mas também, que diabo, eu não estava ali para te desafiar nem para fazer da tua companhia o ponto culminante daquela viagem! Eu tinha vindo para me afastar do outro deserto sem fundo onde sentia que me estava a precipitar; tu tinhas vindo em trabalho, para fazeres um filme e reportagens fotográficas. Eu queria só viajar e distrair-me, conhecer o deserto e estar com amigos; tu tinhas vindo com uma obsessão, como quem vem para uma expedição militar: querias, não apenas viver o deserto, mas aprisioná-lo, contá-lo, fotografá-lo, filmá-lo, enlatá-lo em cassetes de vídeo e rolos de película e levá-lo para casa e para o ecrã, nessa atitude de predador que os jornalistas gostam tanto de exibir. Não vos basta ver, é preciso roubar, também. E, por isso, ao longo desse mês e meio, eu sentei-me no lugar do passageiro (porque só uma vez, e ainda em Espanha, me passaste o volante e logo depois o quiseste de volta, gritando que eu nos ia matando), e via desfilar a areia e as dunas, o nada e o vazio, e assim acabei por encontrar ali, no espaço reduzido daquele lugar da frente do jipe e naquele desconforto total de horas e horas aos saltos, o cantinho que procurava para me sentir, vê lá tu, em paz e segurança. Mas tu, não: tu vivias os dias agarrado ao volante, como um obstinado, e contavas os quilómetros, as horas e os minutos, os planos, os *takes*, os *travellings* e as "parabólicas", os *zooms* e os *close-ups*, e ias anotando no teu caderno de trabalho as cenas, filmadas e fotografadas, que já tinhas "despachado" e as que faltavam. E depois olhavas para mim com um ar orgulhoso e eu dava-te o meu melhor sorriso (que não queria dizer nada), e tu voltavas para o volante e arrancavas mais uma vez, feliz e satisfeito. Adoravas sentir e pensar que eu te tomava pelo meu guardião e protector, que a minha própria vida estava nas tuas mãos, na tua perícia ao volante e nas tuas sábias decisões! E, todavia, oh meu querido, se tu soubesses que quando eu verdadeiramente gostava de ti era quando te surpreendia com um ar de menino perdido ou contente, quando te via cansado e assustado, quando fingias saber onde estavas e não fazias ideia, quando à noite na tenda me encostava a ti e só então tu adormecias, embora fingisses estar a dormir há muito!

E assim, quando, em Argel, ao entrarmos na esquadra para onde os polícias nos tinham levado, depois de nos apanharem a fazer toda uma rua em sentido proibido, eu já sabia que tu ias dizer, à porta:

– Fica aqui, que eu trato disto!

Sim, chefe: porque, além de não falar francês, eu só podia atrapalhar, pois que, conforme já me tinhas explicado, "uma loira num país árabe ou serve para ser trocada por camelos ou não serve para nada".

E fiquei à porta, dentro do jipe, à espera que a tua superior capacidade de desenrascanço nos tirasse dali, como antes nos metera a bordo do barco para Oran. Mas não, e abreviando: não conseguiste dar a volta aos polícias argelinos e o que nos safou foi teres acabado por aceitar o meu conselho de pedir ajuda à Embaixada de Portugal. Uma hora depois, sensivelmente, apareceu o secretário da Embaixada, na companhia da mulher e de outro português. Foram eles que nos conseguiram tirar dali e convencer os polícias a revogarem a ordem de prisão que, entretanto, já pendia sobre ti e sobre os teus brilhantes argumentos. Arrancámos-te dali a rosnar e os argelinos ainda a conterem-se da desfeita de lhes termos tirado o teu bocado da boca. Estavam com uma vontade de te tratar da saúde que nem imaginas!

Bem simpáticos, estes "tugas" da Embaixada em Argel! Levaram-nos para casa deles, improvisaram um jantar com cerveja e vinho e ainda ofereceram o jardim para que lá deixássemos o jipe e não tivéssemos de o descarregar outra vez, de cima a baixo, para ficar ao abrigo do mais que inevitável assalto nocturno. E ainda nos levaram de volta ao hotel, onde antes tínhamos estado a largar a bagagem de mão e a tomar banho. Foi um inesperado "acontecimento social", numa noite de domingo em Argel! E o tempo todo de volta para o hotel gastaste-o a contar que já aqui tinhas estado três anos antes e a insistir que conhecias muito bem os nomes das ruas e avenidas centrais. Meu querido: não acertaste uma. Mas, quando desembarcámos do carro do secretário da Embaixada, à porta do hotel, tu olhaste à volta, mãos nos bolsos e ar de íntimo do lugar, e declaraste:

– Hum, acho que, apesar de tudo, gosto desta cidade!

E não me lembro de mais nada dessa noite. Mal cheguei ao quarto, desabei sobre a cama e adormeci assim mesmo, como estava. A última imagem que retive foi de ti a fumares na janela aberta sobre a rua, de onde vinha um ar quente e os ruídos de Argel percorrendo o *souk* até ao porto. Acordei com um raio de sol batendo na cara, entrando através da janela que deixaras aberta. Reparei que tinha adormecido sobre a coberta da cama, enquanto tu te enfiaras debaixo dos lençóis. Dormias profundamente, com a cara virada para mim e a tua mão direita pousada sobre o meu ombro. Como se fôssemos íntimos.

VII

Ao fim do dia já estávamos prontos para partir outra vez, depois de 24 horas em Argel. E, claro, depois de mais um susto e um imbróglio burocrático. Manhã cedo, eu apresentara-me no Ministério da Informação para levantar a tão almejada e perseguida licença de filmagem e *photographie professionnelle*. Fui subindo, do porteiro até ao terceiro andar, palestrando sucessivamente com funcionários cada vez mais importantes e todos tranquilamente ignorando o que fazer comigo e com as minhas pretensões. Até que finalmente me vi a sós com alguém que tinha ar de diplomata, novo e com aspecto de ter andado pelo mundo, um pouco além da Argélia. Falava um francês impecável e escutou-me com toda a amabilidade e curiosidade. Por fim, levantou-se e chamou por um contínuo a quem encomendou um café para mim.

— Vá-se entretendo com café, enquanto eu vou ver o que se passa, se alguém ouviu falar neste assunto.

Esperei uns vinte minutos, desejando antes estar com a Cláudia, que tinha aproveitado para ir conhecer Argel, com o pessoal da Embaixada. Ela estava muito bem-
-disposta de manhã. Acordara-me ao sair da casa de banho, já arranjada, vestida com umas calças de caqui branco-
-escuro, umas botas que não mais largaria em toda a via-
gem e uma *T-shirt* por cima da qual enrolara uma *écharpe* castanha: estilo "árabe-*chic*". Ficava-lhe a matar: toda a gente, homens e mulheres, se virava na rua à sua passagem. Acho que só aí reparei bem como ela era alta e como tinha uma maneira de andar, meio preguiçosa, meio descontra-
ída, que ainda fazia os homens fixaram-se mais nela. Sen-
ti-me obrigado a dar-lhe o braço (ou apeteceu-me dar-lhe o braço), mas ela sacudiu-o sem cerimónias. Enfim, separá-
mo-nos, ela embarcou no carro do secretário da Embaixada e eu apanhei um táxi para o Ministério da Informação. E agora aqui estava, à espera, dando por mim a pensar que algures, nas ruas de Argel, andava uma loira a passear-se e a fazer os homens virarem a cabeça.

O meu "diplomata" voltou, sentou-se à minha frente e meneou a cabeça, com um ar pesaroso:

– Je regrette, mas não temos nenhuma indicação sobre o seu pedido de licença.

– Nada sobre o assunto?

– Nada.

– Nem sobre mim?

– Nada.

– Nenhuma indicação de que eu vinha, nenhum pedido de filmagem e fotografia profissional?

– Nada, rien du tout.

– Será possível que o pedido tenha ido parar a outro lado – talvez ao Ministério dos Estrangeiros?

– Não, o nosso embaixador em Lisboa sabia com certeza que tinha de encaminhar o pedido para aqui. E, mesmo que fosse parar a outro lado, eles mandavam-no para aqui, porque só nós é que lhe podemos passar a autorização.

– Quer dizer que o embaixador em Lisboa, que me fez vir de propósito a Argel levantar a licença que ele jura ter pedido, afinal não terá pedido coisa nenhuma?

Ele sorriu e fez um gesto largo com as mãos, querendo significar "Que se há-de fazer, sabe como são os embaixadores..."

– E agora? – perguntei-lhe, à beira de um ataque de nervos.

– Agora, temos de começar do zero: você vai fazer o pedido por escrito, eu informo-o e despacho para o director-geral, que depois o irá levar ao ministro para este decidir.

– E quanto tempo pode demorar tudo isso?

– Pedindo com urgência, e eu vou pedir, uns dias...

Mais uma vez era o fim anunciado da nossa aventura. Nós tínhamos de sair de Argel nesse mesmo dia, para fazer os 700 quilómetros de estrada, que não se previa nada boa, até Ghardaia, a cidade às portas do deserto. Aí nos esperava o resto do grupo, mas, conforme tínhamos combinado, só nos esperariam até à manhã do dia seguinte, quando iriam entrar em pista e iniciar a travessia do Sahara. E, mesmo assim, já teriam feito o favor de esperar por nós um dia, parados em Ghardaia, para nos dar tempo de fazermos um desvio de 1300 quilómetros e ir a Argel buscar a licença de trabalho. Que, afinal, não estava lá...

VIII

Eu era a menina da "organização", a quem o "chefe" dera de presente um lugar na viagem, desde que esse lugar fosse o lugar vazio no teu jipe. A primeira vez que te vi, tu apareceste com o meu "chefe", estava eu sentada no chão, nas traseiras do jipe, a etiquetar latas de conserva e a arrumá-las dentro daquela carcaça metálica de três toneladas que nos iria levar até essa terra que, para mim, não era mais do que uma imensa mancha amarela no mapa de África, pendurado na parede do escritório onde trabalhava todos os dias ou de vez em quando: o deserto do Sahara. Uns dias antes, tínhamos falado pela primeira vez, ao telefone, e tu disseste-me que me ias enviar a tua escolha pessoal de mantimentos para a "despensa" do jeep, cuja arrumação ficaria a meu cargo, juntamente com a da minha própria selecção. Não pude deixar de sorrir quando chegaram os teus caixotes e comparei as minhas escolhas com as tuas: eu tinha leite em pó, chá, chocolates, milho, legumes em lata, frutos secos, biscoitos; tu tinhas bacalhau, azeite, feijão, cebolas, enchidos, carnes frias enlatadas, cervejas e *whisky*. Homem e mulher, problemas à vista...

Estava, pois, sentada no chão a arrumar o jipe, numa garagem onde os mecânicos iam, ao mesmo tempo, tratando do carro propriamente dito. Vinhas já de máquina fotográfica suspensa do pescoço e máquina de filmar a tiracolo, como se tivesses pressa de começar a trabalhar. Apresentaste-te, simpaticamente:

– Olá, Cláudia, sou o... – (como se eu não soubesse...).

– Olá – (e fiz questão de te estender a mão, sem me levantar do chão).

– Então, vamos passar fome? – ("és engraçadinho", pensei para comigo).

– Não, e ouvi dizer que é grande cozinheiro...

– Se tiver a despensa bem arrumada...

– Ah, isso logo se vê...

Quando penso nesse diálogo, agora, aqui na estrada para Ghardaia, vendo apenas o teu perfil na escuridão, enquanto conduzes concentrado e em silêncio, pergunto-me porque terei escolhido receber-te antipaticamente nesse primeiro encontro. Talvez por teres mais quinze anos do que eu, por seres *photo-reporter stringer*, como dizias com um ar convencido, e eu ter logo partido do princípio de que devia começar a pôr-te no lugar, desde o início. Que ingénua, que infantil que fui! Bastaram vinte e quatro horas de viagem para perceber que o nosso lugar, o de cada um de nós, era ao lado um do outro. Ou conseguíamos atravessar isto juntos e felizes por estarmos juntos, ou tudo se transformaria num inferno. Ao fim de vinte e quatro horas, eu só queria ser boa companhia para ti, para que tu fosses também para mim. Percebi que ia precisar de ti e percebi também que tu ias precisar de mim. A partir daí, foi tudo fácil, mesmo quando tu te zangavas e desatavas a ralhar comigo, chamando-me menina mimada ou inconsciente, e eu ficava calada, a rir-me por dentro e feliz – (devo-te isso: feliz) – porque adorava ouvir-te ralhar. Ao fim de um tempo, percebias que estavas a falar sozinho e começavas a perder o ímpeto:

– Então, não dizes nada?

– Vá, não te zangues...

– Pois – respondias tu, desarmado. – Se me zango contigo, vou falar com quem, aqui fechado no jipe o dia inteiro?

E eu fazia-te uma festa na mão e tu pedias:

– Acendes-me um cigarro?

Nesse dia, na garagem, tu achaste graça à cena, ligaste a câmara e começaste a filmar e depois a fazer fotografias, anunciando em tom solene, para me impressionar:

– Começou a reportagem.

Depois ligaste o rádio do jipe e gravaste na câmara o som de um noticiário. Mais tarde, ao ver pronto o filme daquele mês e meio, percebi, admirada, que não tinha sido assim tão leviano o teu gesto: tanto a cena de eu sentada no chão a pôr etiquetas nas latas, como o noticiário gravado, entravam logo no início da reportagem.

Durante toda a viagem vi-te tirar algumas centenas de fotografias com as duas máquinas (uma das quais tinhas sempre pendurada ao pescoço) e gravar algumas cem cenas diferentes ou várias vezes a mesma cena – vários *takes*, como tu dizias. No final, tinhas feito um total de catorze horas de gravação, para uma simples hora de montagem final. Muitas e muitas vezes, a filmagem tornava-se penosa e cansativa, pois que de cada vez era preciso parar o jipe à beira da pista, tirar a câmara da caixa de esferovite onde viajava ao abrigo da poeira, tirar e montar o tripé, filmar, voltar a guardar tudo meticulosamente e regressar à pista. Então, era preciso ultrapassar toda a coluna de dezasseis jipes, até reocupar o nosso lugar, que era o segundo na fila – uma operação que podia chegar a durar uma hora inteira, quando os jipes da frente não nos viam no meio do pó e não era possível passá-los em *hors piste*. Mas essa parte das ultrapassagens era a que mais te divertia e a que mais me assustava.

Tu eras meticuloso e obsessivo nisto. Quase nunca filmavas sem o tripé, por mais curto que fosse o plano, porque dizias que depois ele ia sair tremido. Muitas vezes filmavas a mesma cena de várias maneiras diferentes porque, explicavas, isso facilitava a montagem e, de cada vez que desligavas a câmara, tomavas nota, num caderninho que trazias sempre contigo, da duração exacta de cada *take*, ao segundo, e da descrição de cada plano: *zoom, travelling,* "panorâmica" esquerda/direita, "plano fixo" aberto ou fechado, etc. No fim da filmagem, agarravas numa das câmaras e fotografavas também a mesma cena ou até fazias ambas as coisas ao mesmo tempo, com uma rapidez que impressionava. À força de fotografar constantemente, tinhas adquirido um jeito estranho de deixar a mão direita como que suspensa à altura do peito, os dedos caídos em posição de quem vai carregar no obturador a qualquer instante, mesmo quando estavas sem máquina. Com o tempo, fui-me tornando tua "assistente": tu paravas o jipe, sacavas a máquina de filmar e o tripé, sempre com a *Leica* suspensa do pescoço, e eu saía também levando a *Nikon* e uma teleobjectiva e ficava a teu lado, à espera que estendesses a mão sem olhar (às vezes, até, estavas a olhar na objectiva da máquina de filmar) e dissesses:

– Passa-ma aí.

Outras vezes acabava-se a cassete vídeo e tu pedias:

– Claudiazinha, leva esta e traz-me outra.

Mas o que mais gostava era quando tu te entusiasmavas com o plano que ias filmar e me chamavas para o espreitar na objectiva e perguntavas:

– Não é lindo? Agora, olha, vou rodar assim, devagarinho, para a direita e paro naquela duna lá ao fundo. Que achas, não é o máximo?

O meu Fellini!

E à noite, quando todos nos reuníamos à conversa em volta do fogo, tu ficavas ainda a arrumar e catalogar todas as cassetes e rolos de filme, a aspirar as máquinas e as objectivas e arrumar tudo nas caixas de esferovite, instaladas entre os dois bancos do jipe. Depois, sentavas-te no teu lugar de condutor, com o volante a fazer de mesa de trabalho e a lâmpada extensível ligada ao isqueiro, e assentavas no caderno o que tinhas filmado nesse dia e o que te fal-

tava ainda, e escrevias um *story board* para depois, explicavas, te lembrares exactamente de tudo, quando tivesses
de escrever o texto para o filme. E eu, vê lá, achava que tu
fazias muito daquilo para me impressionares e gozava contigo. E tu respondias, muito sério:

– Tudo o que não fizer agora, vou pagá-lo na mesa de
montagem.

O meu Pulitzer!

Mas, em matéria de campismo, eras um desastre! Não
conseguias prender uma espia ao chão, não conseguias
esticar uma vareta e encaixá-la noutra, nunca fazias as
operações pela ordem correcta, e nem sequer reparavas se
estavas a montar a tenda direita ou do avesso. Aparentemente, tinhas confiado em mim para essa tarefa diária,
mas essa era uma tarefa de dois, não de um sozinho. E ten-
tavas baldar-te, dizendo:

– Vou fazer o jantar, trata tu da tenda!

Não querias mais nada! Eu desaparecia e ia andar de
mota para as dunas e tu ficavas cheio de inveja, porque não
sabias andar de mota na areia e não te atrevias a experimentar com uma emprestada. Ou então, pedia ajuda a um
dos meus amigos *motards* para montar a tenda e tu ficavas
com ciúmes. Sim, juro que ficavas com ciúmes, porque a
seguir eu ia andar de mota com eles e algumas vezes (muito
poucas!) nem aparecia para jantar "em casa"!

Nessas noites, tu ficavas com cara de caso e já não me
falavas mais. Aparecias na tenda quando eu fingia já estar a

dormir e, invariavelmente, tropeçavas nas espias à entrada, batias com a cabeça numa vareta, esbarravas com os meus pés no saco-cama e rosnavas palavrões, a ver se me acordavas. E eu adormecia a rir-me para dentro, sem te dar a satisfação de "acordar".

Houve uma noite em que estavas tão maldisposto, tão insuportável, que conseguiste magoar-me. Não te disse nada, fui pedir uma cama de campanha emprestada e juntei-me aos que dormiam ao relento, junto ao fogo, porque não tinham paciência para montar a tenda. Estava um frio terrível ali fora e confesso que senti saudades da nossa tenda e do calor do teu corpo. Tinha também um medo horrível de víboras e escorpiões e maldisse a tua má disposição e o meu orgulho. Mas havia, em contrapartida, um mar de estrelas que me olhavam logo acima da minha cabeça e eu senti-me tão confortável com a sua presença, tão próxima de uma paz que há tanto e tanto tempo procurava, que fechei os olhos para dormir. E já devia estar quase a dormir, quando a tua voz, subitamente tão suave, me disse ao ouvido:

– Cláudia, desculpa se te tratei mal: estava muito cansado. Mas, por favor, vem para a tenda!

O meu querido companheiro do deserto!

Muito pobre...
3/10/2009

IX

Estava tão orgulhoso quando, ao final do dia, voltei para junto de vocês, exibindo, como um troféu conquistado a duras penas, a mágica licença de filmagem, pela qual tínhamos já gasto dois dias e 600 quilómetros a mais do que os outros do resto da caravana! (E tu olhaste-me, como se nada fosse, quando abanei a licença à frente da tua cara, esperando um elogio, um abraço de alegria, um grito de triunfo, um sorriso, vá lá.)

– Ah, até que enfim! Estava a ver que nunca mais!

– Mas, Cláudia, não estás a ver o que sofri, não imaginas o que foi preciso para os convencer...

E ela virou-me as costas, com esse jogo de ombros de miúda inconsciente que me virava o juízo, e respondeu, por cima do ombro:

– Era só o que faltava que não conseguisses! Então, chegávamos até aqui e voltávamos para trás? Só não consigo perceber é como é que não trataste de tudo como devia ser antes de partir...

"Ui, agarrem-me, senão eu mato-a!"

Et pourtant... Et pourtant, tinha sido mesmo difícil e eu tinha chegado a ver a coisa negra. O que preocupava o todavia simpático e diligente director do Ministério da Informação era o facto de eu estar a trabalhar, embora como independente, para uma televisão pública. "E uma televisão pública representa o Estado, não é verdade?" Logo, se por acaso nos perdêssemos, se desaparecêssemos no vazio do mapa do Sahara, se não emergíssemos, saídos da areia, aí por alturas de Djanet ou Tamanrasset, o Estado argelino sentia-se diplomaticamente obrigado a ir à procura do Estado português, com aviões, helicópteros, jipes, camelos, exército, pisteiros, caravaneiros. "Uma trabalheira, uma despesa enorme, como sucedeu há uns anos atrás, quando, durante um Paris-Dakar, tivemos de ir à procura do filho da Thatcher, porque o pateta (*le pauvre*) se tinha perdido e o embaixador inglês não parava de telefonar ao nosso ministro." Fiquei sem saber o que responder para contestar aquele esmagador argumento: nunca me tinha imaginado na pele do próprio Estado português!

– Nós não nos perdemos! – garanti-lhe, com uma pose tranquila e confiante, como se estivesse a ensaiar para um filme.

– Não? E porquê?

– Porque somos portugueses: há quinhentos anos que andamos por toda a parte e conseguimos sempre voltar a casa.

O tipo sorriu da minha imbecil arrogância, mas talvez tenha achado alguma graça, porque respondeu:
– Attendez ici.
Uma ordem destas, num país árabe, não significa que o interlocutor tenha ideia de voltar daí a pouco. Pode demorar meia hora ou três horas.
Demorou três horas.
Mas voltou. E trazia o papelinho mágico na mão, que eu quase beijei. A ironia superveniente de tudo aquilo é que, depois de tanto trabalho, tantos quilómetros a mais, tantas súplicas e *bakshish*, a tão disputada licença de trabalho não nos iria servir rigorosamente de nada: atravessámos a Argélia inteira, até à fronteira com o Níger, para baixo e de volta para cima, fui preso duas vezes por andar a filmar e nunca, nunca, por mais que eu insistisse em mostrar o meu querido *permis de filmage et photographie professionnell*, alguém se preocupou sequer em olhá-lo...
Atravessei o centro de Argel a pé, à procura dela e do pessoal da Embaixada. Era perto das quatro da tarde, mas o sol ainda estava forte e a multidão começava a aumentar, à medida que o dia se aproximava do fim: esta é sempre a hora mais concorrida numa medina árabe. Passei por lojas de roupas, vídeos, tanoeiros, ferragens e talhos com cabeças de borregos decepados penduradas na entrada escorrendo sangue para o passeio. Um sapateiro trabalhava em plena rua e um tipo vendia aos gritos o que me pareceu ser lotaria. Dois polícias circulavam com ar indolente, procurando alguém ou alguma coisa com que embirrar (ou seria a minha embirração instintiva para com os

polícias árabes?) e tive o cuidado de passar por eles sem os encarar. Tinham-me dito na Embaixada que encontraria "les portugais" às compras aqui, na avenida principal do centro, mas deambulei ainda uma meia hora sem ver rasto deles e, não fosse o cabelo loiro da Cláudia que se destacava no negro dos véus das mulheres e dos cabelos dos homens, não os teria encontrado facilmente. Lá estava ela, caminhando com o seu andar inconfundível, o cabelo apanhado ao alto sem grande alinho, olhando para as montras das lojas, indiferente às atenções que despertava à passagem, tanto em homens como em mulheres. Eles com volúpia, elas com inveja, concluí eu.

– Vamos embora, já tenho a licença!

– Ah, até que enfim...! – suspirou ela, trocista.

Já nos sentíamos com um pé no deserto. Com as quatro rodas do jipe finalmente a pisar a pista de areia que começava em Ghardaia. Faltava só chegar lá e encontrar os outros no acampamento: 700 quilómetros de alcatrão ainda, "Route Nationale 2". E encontrá-los até ao nascer do dia, conforme combinado e antes que partissem.

Olhei no mapa o desenho da estrada até Ghardaia: eram 700 quilómetros.

– A estrada é relativamente boa até Laghouat, a uns 500 quilómetros daqui. Daí para baixo e até Ghardaia, não conheço, mas deve ser má porque já é a entrada no deserto – informou-me o secretário da Embaixada, o nosso grande apoio nas últimas 24 horas.

– E há algum sítio onde jantarmos pelo caminho?

– Em Laghouat há um restaurante razoável, na praça principal, não tem que enganar. Fazem um bom *couscous* e, com sorte, até um *méchoui*. Antes disso, acho que não há nada.

– Mas vamos chegar lá tarde: estarão abertos ainda?

– Ah, eles nunca fecham! Sobretudo, se os clientes são estrangeiros: por ali é uma raridade.

O homem teve ainda a suprema gentileza de nos levar até à saída de Argel, indo à frente no seu carro a indicar o caminho e poupando-nos um tempo precioso no trânsito já caótico do final da tarde. Deixou-nos à entrada da *route nationale* em direcção a Ghardaia e ao Sahara, direcção *plein sud*, 180 graus. As despedidas foram efusivas, mas rápidas e fiquei com a sensação de que, se o convidasse e insistisse, ele teria vindo connosco.

Lá retomámos a nossa viagem e, confesso, já tinha saudades de me sentar ao volante do nosso querido e horrendo UMM *Alter II* – um estranho nome para um estranhíssimo jipe. Começámos a subir a montanha, a estrada não parecia má e, volta e meia, saltavam ao caminho macacos pequenos, que fugiam ouvindo o guinchar dos pneus nas curvas. A vegetação era densa, de montanha, às vezes até me fazia lembrar, absurdamente, os quadros de Jacob van Ruysdael – um figurativo flamengo que descobri e logo amei no Rijksmuseum, em Amesterdão, muitos anos atrás.

Com uma hora de caminho, começou a ficar escuro e cada vez mais frio, à medida que íamos subindo. Ao lusco-fusco, à saída de uma curva, abrandei vendo umas manchas brancas no alcatrão, tentando adivinhar o que seria aquilo. Neve! Flocos de neve dispersos, no flanco do Atlas. Olhei o altímetro: estávamos a 1050 metros. Não era assim tão alto, mas ainda havia neve por ali, neve antes do deserto! Se quisesse continuar a divagar, confundindo a paisagem com a pintura flamenga, agora já não era o Van Ruysdael que me ocorria, mas o Hendrick Avercamp – com muito menos neve, é certo. Numa outra viagem, com mais tempo e visibilidade, eu teria parado só para sentir a neve nas mãos, porque foi sempre uma sensação que me fazia ficar feliz como uma criança. Mas agora, de facto, não havia tempo. Na estrada onde raramente nos cruzávamos com alguém – apenas algumas camionetas de carga com passageiros na caixa, olhando-nos admirados e tentando ver para além do encandeamento dos faróis – as curvas sucediam-se umas às outras e fomos sempre a subir até Blida. A partir daí, começámos a descer e carreguei mais no acelerador, porque a noite já era fechada e via-se melhor e, estando cada vez mais baixo, já não havia perigo de encontrar inesperadamente neve no meio da estrada. Chegámos a Médéa por volta das nove da noite, após três horas e meia ao volante. Aí, parámos para encher o depósito e esticar um bocado as pernas, e logo voltámos ao caminho. Íamos subir outra vez aos mil metros até Laghouat – a 130 quilómetros de distância, segundo percebi da placa escrita em árabe à saída de Médéa.

Chegámos pelas dez e meia e orientámo-nos logo em direcção à praça central, que não era difícil de encontrar na pequena *villaya*. Lá estava o restaurante, com um imenso letreiro de néon em letras vermelhas: "Restaurant". E era a única luz acesa que se via em toda a praça. A porta estava fechada, as janelas estavam fechadas, não havia nenhum carro estacionado à entrada, onde nós parámos. O negócio não devia andar próspero, pensei para comigo.

– Merda, está fechado! Bem que achei estranho que os tipos estivessem abertos toda a noite... à espera de quem?

– Tens a certeza de que está fechado?

– Cláudia, não vês? Está tudo fechado!

– Mas ele disse que eles atendem os clientes mesmo assim, sobretudo estrangeiros! Não era melhor ir lá ver?

Suspirei fundo e saí do jipe. Ela veio atrás de mim. Bati à porta delicadamente, não sabendo bem se queria ou não queria que me ouvissem bater. Bati outra vez, esperei um bocado e nada.

– Vamos embora, estão a dormir.

– E vamos jantar onde? Espera...

E bateu ela à porta. Nada, não se ouvia nem um ruído vindo lá de dentro. Mas, de repente, sem aviso algum, a pesada porta de madeira abriu-se e do escuro emergiu um rosto estremunhado e barbudo. Perguntou qualquer coisa em árabe, com voz maldisposta, e eu comecei a desculpar-me simpaticamente em francês:

– Deixe estar, estão fechados já... Disseram-nos que estariam abertos para jantar e viemos ver... mas deixe lá, merci, merci bien.

Mas o tipo já estava a acordar e um pensamento positivo deve ter-lhe atravessado a cabeça:

– Fermé? Non, pas fermé! Manger, oui! Restaurant ici! Oui, restaurant, manger, oui!

Acendeu um interruptor na parede atrás dele e, à luz da fraca lâmpada do tecto que se iluminou a custo, pudemos ver um espectáculo único: no vasto salão do restaurante, as mesas tinham sido afastadas para os cantos e as cadeiras colocadas sobre elas de pernas para o ar. Na parede em frente duas gordas osgas, despertadas da sua caçada nocturna, estavam suspensas dos acontecimentos, e, no espaço vazio do centro do salão, uma pequena multidão de umas vinte pessoas – uma ou duas famílias – dormia em pleno chão, enrolados em cobertores e espalhados numa ordem aparentemente sem nexo. O tipo bateu as palmas, arengou-lhes qualquer coisa, e as cabeças daquela santa gente começaram a erguer-se aos poucos, como tartarugas a sair das cascas.

Fiquei em pânico! Imaginei a família a acordar e acender o fogão na cozinha, a pôr a mesa e inventar qualquer coisa para cozinhar e tudo o resto, e concluí que, com sorte, não sairíamos dali antes de umas três horas. Não dava, não dava mesmo. Fui recuando, desculpando-me à medida que recuava:

– Não, não, deixe estar, não queremos incomodar. Excusez-nous, dormez bien. Bonsoir, bonsoir!

– Vamos rápido! – murmurei à Cláudia, que já havia percebido também a emboscada em que havíamos caído.

– Non, non! Vous mangez ici! Restaurant!

O tipo avançava agora em direcção ao jipe, um punho fechado ao alto e uma expressão nada hospitaleira. Arranquei antes que ele chegasse à porta do meu lado, que nem sequer havia ainda fechado.

– Vamo-nos pirar daqui antes que os tipos nos degolem! Sabes que esta é a pior zona dos fundamentalistas islâmicos? Até se degolam uns aos outros por causa das diferenças de interpretação de um qualquer versículo do Corão!

– Olha que simpático restaurante que nos recomendaram! – E a Cláudia desatou-se a rir, como se aquilo tivesse mesmo graça.

Não parei senão meia hora adiante, na estrada para Ghardaia, e depois de ter vindo a certificar-me cuidadosamente pelo retrovisor de que nenhuns faróis nos seguiam, naquela estrada agora absolutamente deserta. E aí fizemos uma breve conferência: era quase meia-noite e manifestamente não encontraríamos mais nenhuma espelunca onde comer, se é que ainda iríamos encontrar mais alguma coisa que fosse até lá abaixo. Estava na hora de regressar à nossa vida de campistas, que tantas irritações nos iria causar no mês que se seguiria.

Instalei a minha lanterna extensível, ligada ao isqueiro do carro, sobre o tejadilho, para alumiar a cena, e montámos uma mesa improvisada feita de duas grandes caixas de alumínio contendo as cassetes vídeo – ainda totalmente virgens – do filme que tinha vindo fazer. Depois, cada um de nós tirou o que queria da "despensa". A Cláudia escolheu uma lata de espargos, eu uma lata de *pickles* e, juntos, duas latas de atum. Mais vinho branco e pão fresco do dia, que ela se tinha lembrado de comprar em Argel. Comemos em pé, na berma da estrada, porque estávamos com pressa e nenhum de nós teve coragem de retirar as cadeiras de lona que estavam atrás dos *jerricans* de gasolina e da tenda dobrada.

Pela primeira vez, nas muitas noites e madrugadas matinais que se iriam seguir, agradeci o conselho que me haviam dado, e eu havia seguido, de comprar um verdadeiro blusão de penas para enfrentar o frio das noites saharianas, em Dezembro. Essa foi a primeira noite em que o meu querido blusão azul – que hesitara, todavia, em comprar, porque era caro e me parecia ir ocupar um espaço precioso durante o dia – se revelaria (depois da Cláudia e do UMM, é claro!) o meu melhor amigo no meio de tanto e tanto desconforto. E não apenas me protegeria do frio polar nas noites e manhãs do deserto, como ainda fazia de almofada para dormir, de encosto para os rins, depois de horas e horas ao volante nas pistas, e de roupão, depois do "duche" ao fim do dia.

Já a Cláudia, tinha vestido o seu blusão preto, com uma *écharpe* branca enrolada ao pescoço: parecia um anúncio a uma linha de roupa *desert casual*. Estava linda, mesmo na pouca luz que a lanterna dava, e reparei outra vez como era alta, quando passou por mim para ir pousar a sua lata de espargos na improvisada mesa. Ocorreu-me que aquele era o nosso primeiro jantar completamente a sós, ali, no meio de coisa nenhuma, na berma da estrada entre Laghouat e Ghardaia – essas duas abstracções assinaladas a esferográfica azul no *Guide Michelin* que me guiava. Esta era apenas a quarta noite que passávamos juntos: a primeira fora num hotelzinho em Espanha, cada um em seu quarto; a segunda, dividindo um camarote no barco, atravessando o Estreito; a terceira, dividindo, sempre inocentemente, uma cama de casal numa pensão manhosa em Argel; e agora, a quarta, cruzando a Argélia, de noite e de carro, de norte a sul, numa espécie de estrada onde parecia não passar ninguém há anos.

Eu sei que isto parece uma frase feita, mas tinha a sensação nítida de que haviam passado muito mais do que as três noites e os quatro dias que nos haviam trazido até ali. Parecia-me que já tínhamos vivido um bocado de vida imenso e tão forte que era só nosso e nós mesmos não falávamos disso, mas sentíamo-lo em silêncio: era como se o segredo que guardávamos fosse a própria partilha dessa sensação. E que qualquer frase, qualquer palavra, se arriscaria a quebrar esse sortilégio. Sentia-me tão íntimo e tão próximo dela, que tive necessidade de o sentir também fisicamente. Rocei-lhe o meu ombro no seu, enquanto comíamos em pé; pousei ao de leve a minha mão sobre a dela, fingindo que a estendia para a lata de atum, e fiz-lhe uma festa, aparentemente distraída, no cabelo, quando fui ao jipe buscar mais vinho branco ao garrafão. Ela nunca se deu por achada: não fugiu nem retribuiu. Mas sorriu sempre e a sua voz clara, um pouco infantil, arrastando as sílabas, e o tom de menina habituada a ser bem tratada com que pedia "dás-me lume?", ou me levavam ao engano ou à felicidade – que as duas coisas andam frequentemente confundidas.

Nenhum de nós mostrou igualmente disposição para acender o *camping gaz* e fazer um café, de que todavia bem necessitados estávamos. E, assim, voltámos à estrada para os últimos cem quilómetros – que se iriam revelar os piores. O alcatrão fora substituído por uma espécie de massa betuminosa, invadida pela areia e constantemente entremeada por buracos em que era preciso travar a fundo, antes de descortinar a sua profundidade. Às vezes, a areia era tanta que a estrada desaparecia e era preciso olhar bem e redescobri-la mais à frente, e tudo isso era agravado pelo nevoeiro que caíra e que tornava a progressão fantasmagórica. Eu via árvores onde elas não existiam, muros onde não havia construções, sombras assustadoras onde havia apenas zonas mortas dos faróis. Nada, ninguém, se cruzou connosco em nenhum dos sentidos – aquela até podia não ser a estrada certa, que não o iríamos descobrir tão cedo. Não atravessámos nem vimos coisa alguma: aldeia, povoado, casa, marco quilométrico, placa com o nome de Ghardaia escrito em qualquer língua que fosse. Era noite cerrada ali; era noite na Argélia do Sul; era noite às portas do Sahara; era noite no escuro do nosso jipe, onde eu via o perfil do teu rosto, atento ao caminho, atento à noite, à solidão de nós dois.

E assim fomos progredindo, como se caminhássemos dentro de um sonho, que ainda não sabíamos se acabava bem ou mal. Cada vez mais devagar, mais cansados, com mais dificuldade em ver por onde íamos: 60, 50, 40, 30 à hora. Uma, duas, três horas: se Ghardaia tinha luzes, eu não conseguia enxergá-las adiante. Mas sabia que tínhamos de chegar lá antes do nascer do dia, porque era a hora limite do último dia em que estava combinado que esperariam por nós. Eles partiriam ao nascer do dia e nós tínhamos de estar lá antes disso.

Nunca mais me esqueci da nossa chegada. Tínhamos vindo a subir desde Laghouat aquilo que, no meio do nevoeiro e da escuridão, parecia ser uma grande duna, uma montanha de areia, e, de repente, começámos a descer. No meio do meu cansaço, tive uma espécie de alucinação e imaginei que, ao dobrar de uma curva, iria descobrir que estava a descer a serra da Arrábida e que o seu mar azul, translúcido, me iria aparecer, como uma revelação. E assim foi, quase. Não foi o mar azul da Arrábida, mas as luzes amarelas de Ghardaia que me apareceram, subitamente, ao virar de uma curva e ver o horizonte despido do seu manto de nevoeiro. Ghardaia – a cidade que tanto inspirara o Corbusier – estava ali, à nossa frente, dispersa no seu planalto onde parecia repousar há milénios, como uma nave espacial no meio de nada.

– Cláudia: Ghardaia. Chegámos!

– Já vi. Bravo: não foi fácil chegar aqui!

– Não, não foi! Mas está na hora de te agradecer a companhia: não sei se teria chegado sem ti...

Ela inclinou-se para mim e puxou-me a cara para me dar um beijo. Deliberadamente, virei-me de mais, de modo a que o seu beijo aflorasse o canto da minha boca. Beijou-me e eu estendi os braços e as pernas para me descontrair e para me sentir desperto e atento afinal. Tão lúcido, tão em paz, tão cheio de vida, como nunca antes me havia acontecido. E foi assim que me senti ao entrar no deserto, vindo do nevoeiro e da noite, com a cidade de Ghardaia a meus pés.

Deslizámos, rua abaixo, mas nem sequer foi preciso procurar: logo à entrada da cidade, do lado direito da estrada, um letreiro anunciava: "Camping-Gardhaia". E lá estavam eles, os quinze jipes que nos esperavam e ainda meia dúzia dos seus ocupantes acordados àquela hora da madrugada, porque dois deles tinham sido envenenados com dois frangos que haviam comprado e cozinhado e tinham tido de ser assistidos no hospital local. Receberam-nos como se não nos víssemos há meses e fôssemos todos da mesma família, e como se já nos tivessem dado como perdidos para sempre, entre os Ministérios de Argel e as brumas do Atlas. E, olhando para o nosso aspecto de derreados, realizando que não tínhamos mais do que duas horas para dormir antes que todos partíssemos para o primeiro dia de pista, ofereceram-se para nos montar a tenda, enquanto nós esticávamos o corpo depois daquelas terríveis dez horas de viagem.

E assim entrámos, a Cláudia e eu, na nossa tenda, pela primeira vez. Era azul e, àquela hora da noite, quase me pareceu uma suíte, uma casa, mesmo. Escolhi o meu lado

– que passou a ser sempre o direito, até ao fim da viagem – pus a lanterna, o retrato dos meus filhos e as coisas mais importantes na minha "mesa-de-cabeceira", estendi o saco-cama, mas já só consegui deitar-me por cima e não dentro dele, e, antes mesmo de morrer, ainda ouvi a voz da Cláudia dizer-me:

– Vira-te de costas, que me vou despir.

Mas, depois, veio e deitou-se abraçada a mim. Ou assim me pareceu.

X

Sim, é verdade: eu encostei-me a ti e abracei-te, nessa primeira noite na nossa tenda, no *camping* de Ghardaia, quando nos deitámos para dormir as duas horas que faltavam antes de partirmos para o deserto.

Encostei-me a ti e abracei-te sem sequer pensar no que estava a fazer: apeteceu-me, senti que não havia nenhuma razão para não o fazer. O teu cansaço comoveu-me e a tua delicadeza, ao deixares tanto espaço livre para mim ao lado do teu saco-cama, foi irresistível. E vi-te exausto, depois daquelas dez horas ao volante (culpa tua, que tinhas decretado, logo em Espanha, que eu não sabia guiar e que nunca mais me passarias o volante – e cumpriste até ao fim, durante cinco semanas!). Eras tão diferente de mim, tão diferente daquilo a que estava habituada! E, estranhamente, estupidamente talvez, dei comigo a sentir uma espécie de segurança, de conforto desconhecido, naquele entendimento que impuseste e para que não vinha preparada: tu guiavas e eu animava-te, tu decidias e eu apoiava, tu cozinhavas e eu punha a mesa. E, agora, tu adormecias como uma pedra, destroçado e exposto sem defesas, e eu deitei-me ao teu lado e abracei-te. Não, não era disto que eu estava à espera: não estava à espera de te ver assim, caído sem defesa nem disfarce, e de sentir esta vontade incrível de me encostar a ti, como se tu fosses uma parede e eu o seu contraforte. Mas agora não vou pensar nisso, vou só dormir assim, abraçada a ti – e amanhã, se vier a propósito, falamos disso.

Querido, meu querido: não sei explicar-te como essa primeira noite na nossa tenda, na nossa provisória "casa", me marcou. Mas foi então que percebi que não eras apenas tu que me protegias, mas que também eu tinha que te proteger: também tu precisavas de mim ao teu lado, das minhas conversas ou do meu silêncio; dos nossos risos e gargalhadas ou dos nossos amuos e discussões; da minha mão, quando estendias a tua só para sentir que não estavas sozinho, e, sim, também precisavas que eu te encorajasse e te desse ânimo quando – tantas vezes depois! – te vi igualmente exausto e quebrado, como agora estavas. Lembras-te da tempestade de areia? Lembras-te de passarmos duas noites seguidas sem conseguir montar a tenda nem acender o fogão para cozinhar, daqueles dois terríveis dias a progredir na escuridão negra da tempestade, parando constantemente porque a coluna se tinha dispersado e era preciso reagrupá-la e, em cada paragem, tu caías a dormir com a cabeça pousada sobre o volante, absolutamente derreado e sem mais forças, e eu tinha de te acordar, tocando-te suavemente no ombro:

– Temos de ir: já estão a andar outra vez.

E tu acordavas do primeiro sono, olhavas para mim e para a pista como se viesses de outro planeta, levantavas os óculos de neve contra a areia, voltando a pôr mais gotas de *Optrex* nos teus olhos já injectados, ajustavas o lenço de *cowboy* por cima do nariz e da boca e que nem assim evitava as bolas de areia que se formavam dentro do nariz e que estavas constantemente a assoar. E dizias, antes de voltares a ligar o motor e concentrares-te na pista adiante:

– Passas-me um cigarro aceso?

E lembras-te de quando a tempestade chegou? Lembras-te daquela manhã em que o Ali, o nosso guia contratado para atravessar o Tenerée, apontou de repente para o horizonte distante e disse:

– Le voilá qui arrive, le vent de sable!

Nós olhámos e ao princípio não víamos nada, apenas o eterno céu azul e o sol inclemente desenhando miragens nos cristais da areia. Mas, observando com mais atenção, fixando o olhar para onde ele apontara, começámos aos poucos a distinguir uma mancha negra que descia do céu para a terra e que avançava na nossa direcção, escurecendo o dia à medida que alastrava para nós como um monstro deslizante, uma espécie de pesadelo que vinha para nos engolir. Mal a distingui, a tempestade, senti uma sensação de medo, de impotência, de que vinha aí qualquer coisa para além da nossa capacidade de entendimento. E durante várias horas nós fugimos diante da tempestade, andando o mais depressa que podíamos, queimando a paragem para o almoço e tentando inutilmente que aquele monstro se desviasse noutra direcção. Mas estava cada vez mais próxima e os primeiros sopros do furacão começaram a atingir-nos, tornando o céu cinzento e o ar coberto de areia progressivamente irrespirável. Em breve estaríamos submersos e então decidimos parar e acampar, montando rapidamente a tenda contra o jipe e este contra o vento, para servir de barreira. Colocámos pedras sobre as dobras da tenda, tirámos apressadamente as latas para o jantar, água, a lanterna de mão, a farmácia portátil, tudo o que poderíamos precisar para a noite, porque à nossa volta tudo tinha ficado tão escuro que não sabíamos se já era noite ou ainda era dia, e, quando nos afastávamos não mais do que três metros, perdíamos por completo o sentido de orientação e só conseguíamos voltar para a tenda gritando para sermos guiados.

De repente, a tempestade tinha desabado sobre nós e foi assustador. O ruído e a violência do vento eram de um outro mundo que nenhum de nós tinha visto jamais, o torvelinho de areia que circulava no ar fustigava-nos dentro da tenda e eu sentia a areia como chicotadas na cara, nas mãos, em todo o corpo. Aterrorizada, fui-me enfiar no fundo da tenda, dentro do saco-cama, a cabeça tapada pelo blusão, incapaz de escutar mais aquele som de uma fúria irracional. Mas tu não te vinhas deitar, não te deitavas ao meu lado para que eu me sentisse menos assustada. Levantei o blusão e vi que estavas sentado à porta da tenda, do lado de dentro, só com a rede mosquiteira a separar-te do turbilhão de areia que flutuava no ar. Acendi a lanterna, apontei-a a ti e estavas coberto de areia, o cabelo branco, os ombros curvados enfrentando a força do vento. Eu ouvia distintamente as estaladas que a areia dava na tua cara e, estranhamente, tu sorrias.

– O que fazes, aí sentado, a apanhar com a areia toda?

– Estou a ver este espectáculo.

– Mas é assustador!

– Pois é. Mas também é lindo: anda ver!

E eu fui e encostei-me a ti, à porta da tenda. O mundo inteiro estava em revolta. O ar não era escuro, era cinzento-pesado, o ruído do vento era apocalíptico, parecia uma besta cega à nossa procura para nos trucidar. Tudo o que horas antes era paz, agora era caos, desordem, violência absurda. Puxaste-me a cabeça para o teu ombro e eu encostei-me a ti. Passaste-me o braço pelas costas e não sei quanto tempo fiquei assim até adormecer de exaustão.

Toda essa noite a tempestade de areia submergiu-nos e manteve-nos acossados nas tendas. E todo o dia seguinte. E toda a noite seguinte. E toda a manhã do outro dia. Então, animal saciado, afastou-se assim como tinha vindo, e, subitamente, o ar ficou leve de novo, o céu voltou a ser azul e nós emergimos para a luz, soterrados em areia, eu e tu como duas estátuas petrificadas, para sempre unidas por um terror, para além de nós os dois, impartilhável.

Era tudo tão diferente do mundo de onde vínhamos, daquilo a que eu estava habituada! Aqui, não acordava na minha cama, no meu quarto, na minha casa. Não havia a pastelaria para os encontros da manhã, os amigos, as aulas na Faculdade, os bares e discotecas à noite. Não havia nada, nem sequer telefones: uma bússola e um mapa militar dos anos cinquenta e todo o vazio de areia à nossa volta. Os outros, encontrávamo-los sobretudo à noite, no acampamento, quando, a seguir a cada um (cada carro, cada família) ter tratado do seu jantar e da manutenção do jipe, nos reuníamos à volta da fogueira para conversar e olhar as estrelas – aqueles que não tinham cedido ao cansaço e ido directamente dormir. Mas o resto dos dias, aquelas dez horas dentro do jipe, com frio, com calor, com poeira por todos os lados, sofrendo cada buraco e cada pedra no corpo, essas, eram passadas a sós – tu e eu. E o que fazíamos, tu e eu, durante essas infindáveis dez horas de cada dia, do nascer ao pôr do Sol?

Conversávamos sobre a viagem – a paisagem, o estado do carro, as reservas da nossa "despensa", o que iríamos arranjar para o almoço e o jantar, os companheiros de viagem, o andamento do teu filme. E, depois, falávamos sobre a vida que tínhamos deixado para trás, interrompida por estes dias fora de tudo. Ou melhor, falavas tu, porque eu não tinha vida para te contrapor. E tu falavas-me da Amazónia e do filme que lá tinhas feito, seis meses antes; falavas da Índia e de África, da tua anterior viagem ao Sahara Ocidental, com os guerrilheiros da Frente Polisário; falavas do teu trabalho e dos teus filhos, das tardias sardinhas assadas que tinhas comido na véspera de partires de Lisboa e do amuleto para afugentar os maus espíritos que a tua mãe te tinha dado, quando te foste despedir dela e lhe pediste, como costumavas, que te fizesse um sinal da cruz na testa – apesar de, segundo juravas, seres ateu. E, de vez em quando, paravas de falar e perguntavas:

– Estou a ser chato?

– Não, não: continua a falar, que te estou a ouvir.

Mas vou-te confessar: às primeiras horas da manhã, eu escondia-me atrás dos óculos escuros e ia dormindo, enquanto ouvia a tua voz, embalada pela tua voz. Tu falavas para ires acordando e eu aproveitava o embalo da tua voz para me sentir ainda no quente do saco-cama, o sol ainda não afastara por completo o frio irracional das madrugadas e eu sentia-me tão bem assim, protegida pelo som da tua voz, pelo teu relato de florestas distantes e estranhos nomes de peixes e bichos que ali pareciam tão irreais como irreal me parecia toda esta felicidade que não te sei dizer! E que só percebi quando a perdi.

A maior parte do tempo, porém, o que nós partilhávamos era o silêncio. E isso eu aprendi contigo, porque não sabia. Para mim, o silêncio era sinal de distância, de mal-estar, de desentendimento. Ao princípio, quando ficávamos calados muito tempo, eu sentia-me inquieta, desconfortável, e começava a falar só para afastar esse anjo mau que estava a passar entre nós.

Um dia tu disseste-me:

– Cláudia, não precisas de falar só porque vamos calados. A coisa mais difícil e mais bonita de partilhar entre duas pessoas é o silêncio.

Não respondi nada, mas lembrei-me disso quando, entre Djanet e Tamanrasset, navegámos em direcção a um poço assinalado nos mapas e onde havia água. Pensei para comigo que coisa estranha era essa de um poço de água no meio de um mar de areia e calhaus, sem fim à vista. Quem, como, é que tinha descoberto que ali debaixo podia haver água, e quem é que tinha escavado o poço e construído a sua chaminé subterrânea feita de pedras até alcançar essa prodigiosa mina de água, que ali nos aparecia como um verdadeiro milagre inexplicável? Mas os mapas assinalavam o poço e para lá nos dirigimos, toda uma manhã. Ao chegarmos, descobrimos que o poço estava ocupado por uma caravana de camelos, conduzida por uma dúzia de tuaregues. Eles estavam a dar de beber aos camelos e a atestar de água aqueles alforges de pele de cabra que traziam presos às selas e que dizem que mantém a água fresca o dia todo. E nós – era esta a lei do deserto – teríamos de esperar até que eles estivessem saciados e abastecidos para avançarmos para o poço.

Foi uma excitação em toda a nossa caravana! Toda a gente queria filmar e fotografar uma verdadeira caravana de sal de verdadeiros tuaregues. Tu, então, ficaste num estado quase de hipnose. Há dias que vinhas murmurando em voz baixa, como se te preparasses para a desilusão:

– O que eu gostava de encontrar uma *azalai*!

Agora, andavas numa roda-viva, de câmara ao ombro, gritando para que te fosse ajudar, para fazer um plano assim e outro assado:

– Segura aí, que tenho de fazer ali uma panorâmica a começar no poço, da esquerda para a direita, e depois um *zoom* à cara deste gajo!

Cansada, acabei por me afastar e ficar a ver toda a cena à distância. E, à distância, havia qualquer coisa de desconfortável, quase vampírico, na ganância com que vocês os filmavam, perante a indiferença deles.

Quando tudo aquilo acabou, depois de enchermos os nossos *jerricans* de água até acima, quando retomámos a pista, tu estavas meio defraudado porque só encontraras um tuaregue que falava francês e esse tinha respondido por monossílabos às tuas perguntas. Contei-te então que tinha reparado que o nosso guia, o Ali, conhecia um dos tuaregues da caravana e que se haviam sentado os dois no chão, de mãos dadas e numa estranha lengalenga: um fazia uma série de perguntas breves a que o outro dava respostas igualmente breves; e, depois, invertiam os papéis – o que tinha estado a responder passava a perguntar e o outro passava a responder. E, quando o estranho diálogo acabou, ficaram os dois em silêncio, sempre de mãos dadas e a olhar em frente.

– O que é que eles perguntam um ao outro?

– Como tens passado? Como está a tua mulher? E os teus pais? E os teus filhos? E os teus irmãos? E o teu rebanho? E as tuas pastagens? E por aí fora...

– E porque é que ficam calados depois?

– Porque já não têm mais nada de importante para dizer.

Fiquei a pensar na tua resposta: "Ficam calados porque já não têm mais nada de importante para dizer." E fiquei a pensar no que me tinhas dito antes, sobre os *sahraoui*: "Como não têm nada, absolutamente nada, poupam tudo. Poupam a água, a comida, poupam as energias viajando de noite para evitar o calor. Até poupam nas palavras."

– Mas tu não poupas as palavras: tu escreves. Todas as noites gastas uma hora a escrever um diário nesse teu caderno...

– Escrever não é falar.

– Não? Qual é a diferença?

– É exactamente o oposto. Escrever é usar as palavras que se guardaram: se tu falares de mais, já não escreves, porque não te resta nada para dizer.

Anos mais tarde, já estava doente, voltei a lembrar-me dessa nossa conversa. Tinha acabado de te escrever uma carta – mais uma, talvez a terceira – que nunca te cheguei a mandar e que destruí depois. E, escrevendo, poupei as coisas que gostaria de te ter dito e que gostaria que tivesses ouvido. Cheguei quase a convencer-me de que bastava escrever-te para tu me ouvires, mesmo que nunca tenha chegado a pôr a carta no correio. Porque era tão sentido e tão magoado, tão distante, o que te dizia nessas cartas, que quase acreditei que tu não podias deixar de me ouvir. Não é verdade, pois não? Devia ter falado contigo, mas, se calhar, já era tarde, então. Já tantas coisas tinham passado pela minha vida, entretanto! A meada era já demasiado grande e longa para poder retomar o fio, onde quer que fosse. Queria que me ouvisses e que falasses comigo. Mas não te queria ver, não queria que me visses. Assim.

XI

A mim, parecia-me que tinha sido há muito tempo que havíamos regressado do deserto. Essas cinco semanas passadas no Sahara iam-se esfumando no meu espírito tão rapidamente como rapidamente nos tínhamos aproximado e depois afastado. Esfumavam-se no meu espírito: não na minha memória. Porque assim o tinha procurado, assim o tinha querido. Assim me parecia mais certo ou, pelo menos, inevitável. Fora um longo e excessivo corte com a vida a que estávamos habituados, mas ela retomara os seus direitos, os seus hábitos, assim que pusera pé em casa. E tanto que eu sonhara com esse dia!

Porém, havia um preço a pagar pelo regresso a casa. Eu descobri-o logo, tu já o tinhas adivinhado antes, mas depois custou-te mais a aceitá-lo. O preço era cada um seguir para seu lado, seguir a sua vida, os seus hábitos, regressar ao seu mundo. Separarmo-nos assim, sem mais, nós que vivêramos tão próximos durante essa quarentena no deserto, onde só houvera duas escolhas possíveis: ou nos tornávamos íntimos, cúmplices e um apoio recíproco, ou o deserto tornar-se-ia um inferno, todos os dias.

Sim, de vez em quando falávamo-nos ao telefone. Tu telefonavas-me para o trabalho, a telefonista anunciava o teu nome e passava-me a chamada, e eu fechava os olhos por um instante antes de atender, como se assim pudesse ver-te outra vez lá longe, onde juram que as grandes dunas brancas que nos rodeavam se movem todos os Verões e onde as estrelas à noite eram tão próximas que parecia que se estendêssemos a mão conseguiríamos tocar-lhes e eu dizia-te, à porta da tenda:

– Xiu, ouve o ruído das estrelas!

Sabes, a minha vida tem sido um excesso permanente, uma espécie de avalanche a escorregar montanha abaixo. Não tem havido pecado que não me manche, vício que não me seduza. Tenho 36 anos agora e, às vezes (eu, que tenho terror de aviões), dou comigo, a bordo de um avião, quando aquela improvável invenção de metal começa a abanar como se tivesse acabado de descobrir a lei da gravidade, a pensar friamente: "Se esta merda cair agora, como é lógico que aconteça, é justo que assim seja: já vivi de mais, três vidas numa só, trezentos e sessenta anos em trinta e seis. Podes cair, avião: juro que não me vou queixar de ti."

Sabes, a minha vida tem sido um vazio sem bússola nem azimute. Tenho 21 anos agora, e às vezes sinto como se tivesse duzentos e dez. Não durmo de noite, adormeço de dia. Acordo de boca seca, sinto o mundo andar à roda, que alguém me puxa para o fundo de um poço onde só há escuridão, onde me vou perder e onde me quero perder, assim, sem sentido algum. Gostei tanto de te ter encontrado, não me deixes agora... Não me deixes à beira do poço: ouve, não me faças nunca acordar destes dias, destas manhãs geladas na areia, dos teus resmungos de sono e má disposição, porque os teus dedos estão enregelados e não consegues acender o lume do fogão para o primeiro chá do dia. Não me acordes agora, não me fales alto antes de me falares ao ouvido, não me tragas de volta do deserto.

Querido, meu querido: olha para ti, o que trazes aí? Flores... tu trazes-me flores? Não, um livro. Ah, um livro: achas que eu preciso de ler!... Olha para ti: pareces um pateta, de fato e gravata, o cabelo penteado. Tu, que eu só conhecia de cabelos em riste como arame farpado, os olhos injectados de poeira apesar dos litros de *Optrex* que passavas o dia a deitar lá para dentro, a *T-shirt* coberta de manchas de óleo e nódoas de toda a espécie, as calças estratificadas em pó e sujidade, o lencinho de Indiana Jones preso ao pescoço como um amuleto! Olha para ti: vê-se logo que não tens jeito para doenças e hospitais, avanças para a minha cama como se estivesses em algum ritual estranho, olhando à volta com medo de estares a fazer tudo errado. Deixas cair-me o livro em cima, eu tenho uma vontade imensa de desatar a rir mas contenho-me e espero que tu fales primeiro:

– Então, o que tens?

Digo-te que tive um acidente, caí e parti a rótula de um joelho.

– Nada de grave.

Estou com os dois joelhos dobrados e fora da cama: um com ligaduras, o outro nu. Visto uns *shorts* de pijama e uma *T-shirt*, mas não penses que foi ao acaso: eu sabia que tu vinhas visitar-me e pensei no que deveria vestir para te receber numa cama de hospital. Ah, tu não reparas nessas coisas, vocês, homens, nunca reparam! Se tu soubesses as horas que eu perdi antes de partir para o deserto, escolhendo, com a minha amiga Joana, a roupa que devia levar! "Vai fazer calor ou frio?" "Vai fazer calor e frio." "Devo levar roupa prática ou elegante?" "Tens de levar as duas coisas: prática e elegante." "Achas que me fica melhor o blusão preto ou o branco?" "Leva o preto, tu és loira, fica-te melhor."

No fim, nada disso teve grande importância, claro. Primeiro, comecei por exigir um quarto de hora a sós na tenda, todas as manhãs, para me vestir à vontade. Ao segundo dia, já estavas a reclamar com a demora e daí em diante fui eu própria que percebi que não tinha paciência para andar a fazer *toilettes* à luz da lanterna, curvada dentro da tenda e com um frio mortal para trocar de roupa – e se, ainda por cima, parecias não reparar em nada! Passei a fazer como tu fazias, a sair com a roupa com que tinha dormido, apenas escolhendo uma camisa ou uma *T-shirt* que estivesse menos suja de pó e esperar por um dia em que acampássemos junto a um oásis ou um qualquer fio de água, onde as mulheres iam em excursão num dos jipes tomar uma espécie de banho bíblico. Vocês tinham mais sorte: lavavam-se em cuecas ao lado do jipe, ao final do dia, e tu gabavas-te de ter já completamente dominada a técnica de tomar banho integral, lavando a cabeça e tudo, num simples litro de preciosa água. Nessas noites, a tenda ficava arejada do cheiro do teu *shampoo* e tu perguntavas, ufano:

— Não cheiro bem?

— A parte de cima, sim. Mas as calças...

E agora ali estávamos, naquele espaço limpo e desinfectado de um quarto de hospital, olhando-nos como se nos estranhássemos. Olhei para ti, para a tua gravata, o teu ar desajeitado, e tive medo de que a tua breve visita já estivesse a chegar ao fim. E, por isso, agarrei-te a mão:

— Sabes, apetecia-me estar lá, no deserto. Não consegui ainda habituar-me a isto.

— Tens de te habituar. A vida é assim mesmo, nada dura para sempre. Só os rios e as montanhas, como diziam os índios da América.

Pois, para ti era fácil dizer isso: tinhas uma outra vida aqui, até te vestias de fato e gravata, tinhas pressa, olhavas disfarçadamente para o relógio, tinhas vindo do Iraque ou da Jordânia há poucos dias, ias partir para a Índia, era como se o mundo inteiro estivesse à tua espera e quem era eu para te fazer esperar?

Olhei para ti, outra vez. Tentei despir-te dessas roupas, voltar a ver-te com os cabelos em pé, como hastes, a camisa sebenta, os *jeans* descoloridos de camadas de pó acumuladas, o lenço verde preso ao nariz para que a poeira não entrasse e não desatasses a espirrar grãos de areia sem parar. Sabes, lá, nesses quatro dias frenéticos a caminho do deserto e nesses trinta e três dias que demorámos a atravessá-lo até Tamanrasset e voltar para casa, pela primeira vez em muito tempo – muito, muito tempo – os meus dias estavam, por assim dizer, organizados. Sem que eu tivesse de pensar em nada quando acordava, sem ter de planear os dias, de encher os dias, de enganar o vazio de tudo. Era isso, meu querido, mais do que tudo, que me dava essa incrível sensação de conforto, de segurança. Eras tu: tu estavas ali, tu tinhas tudo planeado e pensado e, por mais insuportável que às vezes me parecesse essa tua obsessiva organização e teimosia, por mais que tantas vezes te contrariasse só para te ver irritado ou para simular uma revolta que de todo não sentia nem queria que sentisses, esses foram os dias inesquecíveis em que eu soube que alguém cuidava de mim, que alguém me tinha pegado na mão e me conduzia por onde não havia nada – nem estradas, nem casas, nem cidades, nem luzes ou sombras, nem árvores ou jardins ou praias ou qualquer coisa que eu tivesse visto antes – e a minha única tarefa era deixar-me conduzir por ti, entre a lucidez e o sonho. Oito, nove, dez horas por dia, sentada ao teu lado no jipe, aos saltos nas pistas de pedra, cobertos de pó branco no *fech-fech*, que levantava de cada lado do carro duas imensas colunas de pó que pareciam paredes a esmagar-nos, ou nas imensas planícies de "chapa ondulada", que faziam lembrar a Lua e me deixavam enjoada e tonta como se estivéssemos no mar alto a subir e descer vagas gigantescas. Ou na impossível pista para o Assekrem, nas montanhas do Hoggar, cinco horas seguidas a subir e descer pedras do tamanho de uma roda do jipe (mete a 1ª, encosta à pedra, sobe devagarinho, começa a descer com o travão e volta a fazer o mesmo com as rodas de trás, uma e outra e dezenas ou centenas de vezes) e depois acabar com uma subida a pé durante uma hora, até ao alto da mais alta das montanhas, onde, trinta anos atrás, o Père Foucauld construiu a sua incrível casa de duas divisões de pedras sobrepostas, 12 metros quadrados contra a futilidade do mundo. E nós sempre ali, um ao lado do outro, todas as horas do dia, todos os dias, um a seguir ao outro. Às vezes calados durante horas, outras vezes à conversa durante horas – e as duas coisas eram boas, tanto o silêncio partilhado, como as conversas sobre tudo o que nos ocorria. Sempre ao teu lado e tu sempre ao meu lado. Sempre. Algumas vezes convidavam-me para viajar um dia ou parte dele noutro jipe, com outra companhia, outras conversas, uma distracção, para variar. Às vezes apetecia-me dizer que sim, mas depois olhava para ti, a arrumar as coisas no jipe antes de mais uma jornada de pista, trôpego de sono, exausto ainda o dia não tinha começado, e imaginava-te sozinho no jipe até ao pôr do Sol e não era capaz de te abandonar. Era como se te traísse.

E agora eras tu que me abandonavas, que tinhas pressa de regressar à tua vida real – tão longe do deserto, tão longe do sonho, tão longe da nossa solidão a dois! Abandonavas-me assim, doente numa cama de hospital, como não se deve abandonar ninguém que nos ame, pois não?

Foste-te embora, foram-se embora as outras visitas desse dia, uma enfermeira veio dar-me um remédio e mudar o frasco de soro, e eu fiquei sozinha, a pensar em ti e na tua visita. Através da janela do quarto, percebi que a tarde estava a acabar e que as luzes da cidade se iam já acendendo. Lá de fora vinha o ruído do trânsito ao fim do dia, um ruído de gente e automóveis apressados, gente que queria voltar para casa, onde estavam os que amavam ou os que se tinham habituado a amar, sem fazer demasiadas perguntas nem exigir nada mais do que esse amor tranquilo de todos os dias. É verdade que nunca quis ou nunca vivi para querer isso para mim. Queria mais, vê tu! Queria viver no limite todos os dias, queria que as coisas estivessem sempre a correr. Conhecer novas pessoas todo o tempo, sair, ir a discotecas, divertir-me todos os dias, sentir que podia seduzir todos à minha volta e brincar com isso. Mas agora, agora que a noite chegou e que fiquei sozinha, agora que te foste embora para a tua vida, agora que sei que também tu voltaste para uma casa onde tens alguém à tua espera, alguém que te ama, alguém que te dá paz, também a mim, de repente, me apetecia poder ir para casa e ter à minha espera alguém que me amasse. Não, não estou a dizer que queria que fosses tu. Não estou a dizer isso, estou a falar de alguém. Alguém sem nome.

Eu sei que algures, mais adiante na minha vida, hei-de encontrar quem esteja em casa à minha espera quando eu chegar. Sim, eu sei, está escrito, é sempre assim. Mas era agora que eu queria não sentir este vazio, não te sentir tão distante, tão longe do deserto. Queria só dar um sentido à nossa viagem. Já sei, já sei que nada dura para sempre – só as montanhas e os rios, meu sábio. Mas o que fomos nós um para o outro: apenas companheiros ocasionais de viagem? Com o tempo contado, com tudo previamente estabelecido e com prazo de validade previsto à partida? Foi só isso, diz-me, foi só isso o nosso encontro? Não ficou mais nada lá atrás, não deixámos nada de nós os dois no deserto que atravessámos?

XII

Às vezes eu pensava em ti, Cláudia. Pensava o que seria feito de ti, se terias acabado o curso, se terias um trabalho, se terias emigrado, se te terias casado (e terias filhos, loiros e lindos, iguais a ti?). Pensava, mas sem pensar muito. Cada um de nós seguira a sua vida e elas eram em tudo diferentes: os amigos, o trabalho, os lugares por onde andávamos, mais de meia geração a separar-nos. Lá longe, isso não fez assim tanta diferença, mas aqui fazia toda. Eu não andava na noite nem nos bares, discotecas ou concertos *rock*: nunca foi vida que me seduzisse e menos ainda agora, que trabalhava tanto e via crescer os meus filhos, como pai de fim-de-semana. Com os anos, comecei a ficar obcecado em construir coisas. Coisas que durassem, que ficassem depois de mim: filhos, casas, fotografias, livros, reportagens, viagens, histórias que eu pudesse contar e partilhar com os outros. E, de cada vez que concluía uma coisa, passava a outra e assim sucessivamente, como se tentasse ultrapassar o próprio tempo. Tirando o silêncio, a solidão e o espaço, tirando o tempo gasto nisso, todo o resto do tempo que não fosse passado a construir coisas novas parecia-me um desperdício de vida. Consumia-me uma febre insana de caminhar sempre em frente, ao mesmo tempo que tentava preservar, como coisa preciosa, a memória de todos os dias felizes que tinham ficado para trás – e onde estavam, como as folhas secas de uma rosa deixadas entre as páginas de um livro já lido, os nossos quarenta dias de deserto.

Depois disso, voltei onze vezes ao Sahara. Nunca como contigo, nunca tão fundo, tão longe, tão perdidamente. Mas voltei, porque o deserto tornou-se quase um vício e a minha íntima religião, o único divino a que prestava contas e onde me reencontrava. E, de cada vez que voltei, pensei em ti e pensei como seria bom, incrivelmente bom, voltar contigo. Nessas alturas, como nas outras, eu repetia a mim mesmo: "Não há regresso. Há viagens sem regresso nem repetição." Lembras-te quando, no último dos irrepetíveis dias daquela viagem, estávamos nós a amarrar em Gibraltar, debruçados na amurada do barco que nos tinha trazido de Marrocos durante a noite, olhando a manhã de Dezembro, limpa e deslumbrante sobre as águas quietas do Estreito, e tu me perguntaste:

– Em que pensas?

– Estava a pensar que há viagens sem regresso. E que nunca mais vou voltar desta viagem. Nunca mais vou regressar do deserto.

Tu não respondeste nada. Os teus olhos azuis, ainda estremunhados, o teu cabelo espalhado ao vento em todas as direcções, a tua cara de sono, de menina pequena, respondiam por ti – e, caramba, como tu ficavas bonita assim, sem precisares de dizer o que quer que fosse! Apenas a olhar em frente, como te tinha visto fazer em todos aqueles dias, no banco ao lado do meu no jipe. Tu falavas pouco e essa era uma das coisas de que eu gostava em ti. Quando tudo era bonito de mais ou duro de mais, tu ficavas calada a olhar silenciosamente. Falámos sobre isso uma vez, e eu disse-te que a vida me tinha ensinado que fácil era o ruído, as conversas sem sentido, a banalidade das palavras ditas sem necessidade alguma. De nós os dois, tu eras, sem dúvida alguma, a mais calma, a mais feliz tranquilamente. A mais atenta, a mais disponível para o vazio e o silêncio. Ah, não te rias, eu observei-te bem, sei do que falo!

Ninguém, ninguém mais caminharia assim como tu pelos passeios de pedra ocre das ruas de Tamanrasset, como se estivesses despreocupadamente a descer o Chiado às cinco da tarde. Homens azuis paravam à tua passagem, não acreditando no que viam; guerreiros tuaregues, de olhar feroz, lenço negro a tapar a cara e espada pendente à cintura, hesitavam se deviam raptar-te sem mais e fugir contigo para o seu acampamento onde serias a única presença, além das cabras e dos camelos – e tu passavas, imperial, de *jeans* e *T-shirt*, cabelos loiros soltos e descobertos, alta e altiva, baixando-te de repente para brincares com uns miúdos que jogavam ao pião no passeio. E eu caminhava três passos atrás de ti, fotografando-te de vez em quando, enquanto por ali ainda andavas, ainda não raptada sob os meus olhos. E os homens azuis e tuaregues que tinham vindo ao mercado mensal de Tamanrasset olhavam para mim, depois de te terem devassado como a um vento de areia, sem perceber se eu era teu amo ou teu servo.

Comprei uma espada antiga em seu alforge, no mercado de Tamanrasset. Alguém comentou que o aço levemente enferrujado de Toledo certamente tinha entranhado sangue de homens mortos, e eu fiquei a olhar a minha espada tuaregue, paga em francos franceses, e a pensar se isso a faria mais preciosa ou mais roubada. Outros compraram punhais, lanternas, jarros de barro pintados à mão, outras coisas que nem sabíamos para que serviam. O nosso médico gastou a manhã a ver mulheres e crianças doentes (os homens não davam parte de fracos) e deixou-lhes dois frascos de gotas para os olhos, injectados da areia que o vento trazia e com a qual viviam há milénios. Distribuímos *T-shirts*, frascos de compotas e cubos de marmelada, latas de conserva e fotografias do Madjer a marcar o seu imortal golo de calcanhar em Viena, com a camisola do F. C. Porto. Mas nada, nada podia apaziguar aquele indefinível mal-estar que sentíamos na presença deles. A seus olhos, tínhamos vindo de outro planeta, carregados de coisas novas e estranhas que eles nunca tinham visto – até mulheres loiras de *jeans* – mas logo partiríamos, de encontro ao deserto onde estava a nossa "aventura" e a sua desventura. Foi então que eu te tirei a tal fotografia, rodeada de miúdos e sentada no chão, uma criança entre crianças, e, ainda que tantas fotografias felizes mintam, como bem sabemos, ainda que as fotografias consigam suspender a felicidade como se ela fosse eterna, aí tu ficaste para sempre – feliz, suspensa e eterna – tal qual como nesse instante. E é, hoje ainda, a imagem mais forte, mais verdadeira, que tenho de ti. Não saias nunca desta fotografia, Cláudia! Não saias – tu, não.

E tantos anos passaram desde então! A minha espada do mercado de Tamanrasset continua enferrujada, mas não mais do que já estava antes. Os anos passaram por mim, não por ela. Um dia em que tive um grande desgosto, deitei-me para dormir sem saber como seria a minha vida para diante. Quando acordei, olhei-me ao espelho e vi, espantado, que duas grandes rugas me tinham nascido nessa noite, junto aos olhos. Não estavam lá antes de eu me

ter deitado na véspera, mas agora estavam, nítidas e ver-
dadeiras, a menos que eu as injectasse de botox e alguém
inventasse uma cirurgia contra os desgostos. E habituei-me
às rugas, conformei-me com o tempo que passa. Às vezes,
lá onde eu moro, fico à noite a olhar as estrelas como as
do deserto e oiço o tempo a passar, mas não me angus-
tia mais: eu sei que é justo e que tudo o resto é falso. E
às vezes, nesse terraço onde vejo e oiço as estrelas, onde
escuto e aceito a ampulheta da minha vida, acendo um
lume à maneira do Ali, com os galhos e ramos secos que
fui colhendo durante o dia, ao passear pela paisagem. E, às
vezes também, quando então percebo que tudo está em paz
e faz sentido, falo com a tua estrela, sei que tu me guardas
e vigias, que perdoas todos estes anos de silêncio, tão cruéis
e irreparáveis ausências, tanto medo, Cláudia, de seguir a
tua estrela, a tua luz, em vez de tantas ofuscantes ilusões.

Hoje já ninguém vai ao nosso deserto, Cláudia. Os
fundamentalistas islâmicos, como os de Laghouat, torna-
ram-se sanguinários e incontroláveis e os próprios tuaregues revoltaram-se contra o poder de Argel.
Mas a razão principal nem é essa. A razão principal é que já não há muita gente que tenha tempo a perder com o deserto. Não sabem para que serve e, quando
me perguntam o que há lá e eu respondo "nada", eles ris-
cam mentalmente essa viagem dos seus projectos. Via-
jam antes em massa para onde toda a gente vai e todos
se encontram. As coisas mudaram muito, Cláudia! Todos

têm terror do silêncio e da solidão e vivem a bombardear-
-se de telefonemas, mensagens escritas, *mails* e contac-
tos no Facebook e nas redes sociais da Net, onde se ofe-
recem como amigos a quem nunca viram na vida. Em vez
do silêncio, falam sem cessar; em vez de se encontrarem,
contactam-se, para não perder tempo; em vez de se desco-
brirem, expõem-se logo por inteiro: fotografias deles e dos
filhos, das férias na neve e das festas de amigos em casa,
a biografia das suas vidas, com amores antigos e actuais.
E todos são bonitos, jovens, divertidos, "leves", disponí-
veis, sensíveis e interessantes. E por isso é que vivem esta
estranha vida: porque, muito embora julguem poder ter o
mundo aos pés, não aguentam nem um dia de solidão. Eis
porque já não há ninguém para atravessar o deserto. Ninguém capaz de enfrentar toda aquela solidão.

Eu próprio não creio que lá volte mais. A menos que tu
descesses das estrelas e quisesses vir comigo outra vez. Que
pudéssemos ambos apagar todo o mal, todos os danos e
todos os enganos, todos os anos perdidos que ficaram para
trás, desde essa manhã límpida nas águas de Gibraltar.
Mas eu sei que não há regresso: eu mesmo to disse.

– Cláudia!

– Ah, conseguiste apanhar o barco!

– Consegui: estou aqui.

– Mas vocês ficaram lá atrás, retidos na fronteira: achei
que os marroquinos da polícia só vos libertariam amanhã
ou depois.

– Conseguimos safar-nos ao fim de três horas. Eles só queriam ter a certeza de que não tínhamos estado a filmar com a Frente Polisário.

– Três horas de atraso: caramba, vieram a abrir!

– Viemos, estava desesperado para não perder o barco.

– Porquê?

– Porque queria estar contigo, queria acabar a viagem contigo.

– Porquê?

– Porque a começámos juntos. E fizemo-la juntos, todo o tempo.

– Pois...

– Já jantaste?

– Já. E tu?

– Não: já fecharam o restaurante do barco, foi um milagre ainda nos terem deixado embarcar.

– Eu ainda tenho comida, mas é milho, já sabes. Queres que vá buscar?

– Não. Vou-me deitar sem comer. Mas, em contrapartida, ainda consegui alugar um camarote: é o 42. Imagina: cama, lençóis lavados, uma noite inteira no mar para dormir à vontade!

– Boa!

– Vens?

– Não. Também já aluguei um camarote, com a Ana. Vou dormir lá. Aliás, vou andando...

– Não queres ficar no meu?

– Não.

– Porquê?

– Porque a nossa viagem acabou aqui.

– Acabou?

– Acabou, sim. Tu sabes bem que acabou.

– Não, só acaba depois de amanhã, em Lisboa.

– Hoje ou amanhã ou depois, qual é a diferença? Acabou!

CHEGADA

Quando tu morreste, eu estava fora. Estava no deserto, vê a coincidência. Parece-me que consigo sempre estar fora quando morrem aqueles cuja morte me pode magoar. Anos mais tarde, também estava no deserto, outra vez, quando o meu pai morreu. Se pensas que faço de propósito, é possível que tenhas razão, pode ser que a vida tenha razões que a razão não entende.

Ninguém me telefonou a dizer que tinhas morrido: talvez tenham telefonado, mas devem ter dito que eu estava fora. E não há telefones no deserto, não há nada no deserto: tu sabes. Quando voltei, ninguém me disse coisa alguma, devem ter pensado que alguém me teria já dito e que eu sabia. É incrível: tu morres, continuas morta – dias, semanas, meses – e eu não sei de nada! Nem sequer sabia que podias morrer assim, sem aviso, sem salvação.

E um dia, no meio de uma conversa, alguém me disse, com toda a naturalidade:

– Deve ter-te feito impressão a morte da Cláudia...

– O quê!?

Pareceu-me que, subitamente, alguém estava a falar comigo, mas de muito longe, como quando estamos mergulhados dentro de água e ouvimos uma voz que nos chama.

– A Cláudia morreu... não sabias?

"A Cláudia morreu".

"A Cláudia morreu".

"Não sabias?"

Levantei-me da mesa onde estava sentado e fui até à janela. Era um fim de tarde de Março, em Lisboa. A luz – essa luz incrível dos finais de tarde da Primavera, em Lisboa – atravessava ainda o rio e pousava, dourada, sobre o convés de um navio que deslizava em silêncio no Tejo. Mas do lado de lá, em Almada, as luzes da noite já se tinham acendido e o seu brilho também chegava ao rio.

Abri a janela porque precisava de ar, tinha medo de estar a sufocar. E queria gritar, queria gritar até onde me ouvissem, até ao lado de lá do Tejo, até Tamanrasset, até à estrela onde tu agora estavas – em paz, finalmente. Em paz, sim, porque é isso e só isso a morte. Mas não gritei: enrolei o meu grito e falei-te baixinho, como se fosse noite na nossa tenda e pudessem ouvir-nos lá fora.

"Vês, Cláudia: não é verdade. Nada está morto, há luzes do lado de lá do rio. Há luzes nas casas e gente dentro das casas. Voltaram do trabalho, estão a brincar com os filhos, estão a fazer o jantar, a ver televisão, há um velho que faz palavras cruzadas sentado num sofá e a mulher que ouve o terço na Rádio Renascença. Como é que podes estar morta? Como é que posso acreditar que estás morta? E, se essa absurda notícia, se esse assassínio é verdade, como é que posso fazer para que não estejas morta?"

À hora a que me disseram que tinhas morrido, ainda não havia estrelas. Ainda não havia noite para te chorar – e é à noite que eu choro. Não fui ao teu enterro. Não me apoiei nos outros em frente ao teu caixão para te chorar. Não te chorei. Não fui a tempo – e há um tempo para isso. Não te vi a subir a uma estrela, não te vi a rir lá de cima – porque, mais uma vez, eu estava atrasado.

Cheguei a casa e fui procurar as tuas fotografias, as fotografias da nossa viagem. Guardei-as dentro de um envelope grande no qual escrevi "Sahara, 1987" e meti-as dentro de uma gaveta, num armário. Desde então, mudei algumas vezes de casa, mudei até de vida outras vezes, e as fotografias continuaram sempre dentro desse envelope, na gaveta, no mesmo armário. Vinte anos. Só ontem é que voltei a vê-las. Só ontem é que percebi que tinhas morrido.

Está a melhor parte deste livro